L'Affaire Susan Thibaudeau : le respect imposé

RICHARD BOURGAULT

L'Affaire Susan Thibaudeau : le respect imposé

ÉDITIONS QUÉBEC/AMÉRIQUE
425, RUE SAINT-JEAN-BAPTISTE, MONTRÉAL (QUÉBEC) H2Y 2Z7 (514) 393-1450

Donnée de catalogage avant publication (Canada)

Bourgault, Richard, 1962-
L'affaire Susan Thibaudeau : le respect imposé
ISBN 2-89037-906-X
1. Pension alimentaire pour enfants – Impôts – Droits – Canada. 2. Mères de famille monoparentale – Impôts – Canada. 3. Divorcés – Impôts – Canada. 4. Pension alimentaire pour enfants – Canada. 5. Thibaudeau, Susan, 1951- .

KE5799.A44B68 1997 343.7105'24 C97-940582-3

Les Éditions Québec/Amérique bénéficient du programme de subvention globale du Conseil des arts du Canada.

Dépôt légal : 2e trimestre 1997
Bibliothèque nationale du Québec
Bibliothèque nationale du Canada

Conception graphique : Thomas
Mise en pages : PAGEXPRESS

IMPRIMÉ AU CANADA

Je dédie ce livre à Isabelle, ma conjointe,
à mon fils Thomas,
à la vérité qui finit toujours par triompher.

REMERCIEMENTS

La rédaction de ce livre aurait été impossible sans la collaboration et le précieux soutien de plusieurs personnes. Il va sans dire que sans le courage et la ténacité remarquables dont madame Susan Thibaudeau a fait preuve, nous n'aurions pu assister à une des causes les plus retentissantes de la décennie. Je désire donc la remercier personnellement de la confiance qu'elle a manifestée envers notre équipe tout au long de cette saga. Ensuite, je voudrais remercier mon ami, Maître Michel C. Bernier, qui a plaidé avec moi toute cette affaire ainsi que mes associés, Maîtres Roger Beaudry, Reynald Brochu, Christian Dion, Johanne Leclerc, Martin Simard, Marie-Claude Poulin, François Marcoux et Connie Byrne ainsi que le personnel du bureau. Je voudrais surtout remercier mon amie Carmen Dallaire qui s'est usé les yeux et la patience à traiter la liasse de documents que je lui ai remis à satiété au cours des derniers mois. Enfin, je voudrais remercier messieurs Louis Fortier et Wallace Schwab pour leur aide très appréciée ainsi que mon éditeur qui n'a pas hésité à me faire confiance. Sans le soutien indéfectible de toutes ces personnes, ce livre n'aurait jamais vu le jour.

Ce document, tout modeste qu'il soit, se veut un témoin de la vérité. Il veut faire toute la lumière sur un système qui se targue d'être juste, mais qui défavorise souvent les personnes qui sont déjà les moins bien nanties de notre société.

Je tiens également à saluer très sincèrement madame Berthe Bourgault et tous les autres de Saint-Jean-Port-Joli dont les noms évoquent pour moi de beaux après-midi ensoleillés. Je tiens aussi à saluer Isabelle, Thomas, Thérèse, René, Sylvie, Gisèle, Madeleine, Réjean et Jean-François, qui par leur encouragement et leur amour, ne cessent de me rendre heureux. Je veux leur dire que je les aime du plus profond de mon cœur. Je voudrais encore souligner l'aide que m'ont apportée certains de mes professeurs, Camille Simon, Gilles Simon, Fernand Beaulieu, Gérard Drapeau, Élaine Fafard, Ghislaine Ouellet, Jean-Marie Drolet, Benoit Garneau, Monique Segal, Serge Allard et André Côté, sans oublier les autres. Je désire, par ailleurs, exprimer ma reconnaissance la plus sincère pour cette amitié que mes amis m'ont toujours témoignée. Ils se reconnaîtront.

TABLE DES MATIÈRES

PRÉFACE

Beaucoup plus de femmes que d'hommes sont pauvres au Canada et ce, surtout lorsqu'elles sont séparées ou divorcées et qu'elles ont la garde de leurs enfants. Les chiffres sont très révélateurs à ce sujet. En effet, selon les statistiques, le niveau de vie des femmes diminue de 73 % lors d'une séparation ou d'un divorce tandis que celui des hommes s'améliore de 43 % dans la majorité des cas.

Pourtant, malgré cette constatation, il a fallu pousser nos dirigeants dans leurs derniers retranchements et les contraindre à adapter les lois fiscales à la réalité actuelle pour régler ce problème. Je suis à même d'évaluer les difficultés vécues tout au long de cette bataille puisque j'ai été l'un des deux avocats qui ont plaidé les recours institués par Susan Thibaudeau, cette femme de Trois-Rivières qui a décidé de combattre l'imposition des pensions alimentaires accordées pour les enfants. Comme nous le constaterons tout au long du récit de cette affaire, des lois désuètes étaient respectées au pied de la lettre, même si elles étaient cause de discrimination envers celui des deux parents qui avait la garde des enfants après une rupture. Celui-ci devait, en effet, payer de l'impôt sur des sommes qui ne lui étaient pas destinées, mais qui étaient dévolues pour l'entretien exclusif des enfants. Comme les femmes ont la garde des enfants dans 76 % des cas de séparation ou de divorce, c'étaient elles, encore une fois, qui s'appauvrissaient.

Plusieurs femmes ont voulu crier à l'injustice. Parmi celles-ci, il y avait Susan Thibaudeau, cette contemporaine qui a décidé de se tenir debout et de crier haut et fort ses revendications en son nom et au nom de toutes les autres personnes qui vivaient la même situation. L'imposition fiscale qui était demandée majoritairement aux femmes séparées ou divorcées qui avaient la garde de leurs enfants était contraire à la justice, à l'équité et au bon sens le plus élémentaire.

Pendant que madame Thibaudeau livrait bataille, quelques milliers de femmes ont entrepris, au mois de mai 1995, à Montréal, Longueuil et Rivière-du-Loup simultanément, une longue marche de dix jours en direction de l'Assemblée nationale à Québec sous le thème « Du pain et des roses ». Cette marche contre la pauvreté avait pour objet plusieurs revendications. Celles-ci portaient principalement sur la création d'emplois, l'équité salariale, l'augmentation du salaire minimum, des programmes d'insertion ou de réinsertion à l'emploi, l'avènement d'un système de perception automatique des pensions alimentaires et bien d'autres choses. Elles avaient 200 kilomètres à franchir, une longue marche à l'image d'une lutte qui dure depuis des siècles...

Je veux qu'on réalise, à travers ce récit, l'acharnement dont une femme doit faire preuve afin d'en arriver à être traitée en toute justice. Mon but est également de dénoncer certaines iniquités qui n'ont plus leur place dans nos sociétés dites évoluées. Je souhaite sincèrement que ce livre fournisse à toutes les femmes ainsi qu'à tous les hommes qui revendiquent l'égalité, l'information nécessaire à la poursuite de leur combat et à la reconnaissance de leurs droits.

PRÉFACE

Lorsque nous nous sommes rencontrés pour la première fois, Susan Thibaudeau, ses consœurs et les membres de notre étude, tout était convenu : « Nous allons défendre ces femmes, sans oublier d'attaquer aussi ! »

INTRODUCTION

Susan Thibaudeau recevait, aux termes d'un jugement conditionnel de divorce prononcé le premier décembre 1987, une pension alimentaire pour le bénéfice exclusif de ses deux enfants mineurs. Au moment d'en déterminer le montant, le tribunal avait reconnu que cette pension alimentaire qu'il accordait exigerait de la mère une contribution supérieure à ce que le rapport entre les revenus respectifs des ex-conjoints commandait. En d'autres termes, cela signifiait que Susan Thibaudeau, qui gagnait moins que son ex-époux, devait faire plus que ce dernier pour l'éducation et l'entretien de ses enfants. Selon le tribunal, ces efforts supplémentaires étaient exigés de la mère parce qu'il avait décidé de comptabiliser partiellement l'incidence fiscale payable sur cette pension alimentaire. Comme on le sait, cette incidence fiscale découlait directement des articles de la *Loi de l'impôt sur le revenu* qui obligeaient le conjoint séparé ou divorcé, parent et gardien d'enfants, à déclarer, dans ses propres revenus, la pension alimentaire qu'on lui versait pour l'entretien exclusif des enfants. Quelles étaient donc les raisons qui incitaient le tribunal à compenser partiellement l'impôt découlant de sa décision d'accorder la pension alimentaire ? Manque de revenus de la part de l'ex-mari qui ne pouvait payer davantage ? Encore aujourd'hui, je demeure très sceptique. Ce que je savais cependant avec certitude, c'est que cette pension diminuée, qui comptabilisait partiellement l'incidence fiscale payable sur celle-ci, démontrait bien que notre système de fixation des pensions alimentaires était déficient en ne réussissant pas, notamment, à contrecarrer les effets pernicieux des articles de la *Loi de l'impôt sur le revenu.*

Pourtant, le 25 mai 1995, la Cour suprême du Canada rendait sa décision dans l'affaire *Sa Majesté la Reine* contre *Susan Thibaudeau* en jugeant que l'alinéa 56 (1)b) de la *Loi de l'impôt sur le revenu* (SC 1970-71-72, chap. 63[1]) ne portait pas atteinte au droit à l'égalité garanti par le paragraphe 15 (1) de la *Charte canadienne des droits et libertés* et qu'il n'engendrait aucun préjudice pour les parents gardiens d'enfants, « bénéficiaires » d'une pension alimentaire pour leurs enfants.

Dans une décision majoritaire de cinq contre deux, la Cour suprême rejeta les prétentions de Susan Thibaudeau suivant lesquelles l'imposition des pensions alimentaires prévue à l'alinéa 56 (1)b) de la *Loi de l'impôt sur le revenu* était discriminatoire du fait qu'elle créait une inégalité flagrante parmi les différentes catégories de contribuables et occasionnait, à un groupe bien déterminé, des désavantages sérieux.

La cause *Susan Thibaudeau* contre *le ministre du Revenu du Canada* opposait les intérêts du gouvernement fédéral (conséquemment, des gouvernements provinciaux) à ceux de milliers de contribuables canadiens représentés, dans le cadre d'un recours collectif, par Susan Thibaudeau

---

1. Il s'agit de la référence légale de la *Loi de l'impôt sur le revenu* qui se retrouve au chapitre 63 des *Statuts du Canada* publié en 1970, 1971 et 1972.

qui se trouvait dans la même situation que ceux-ci. Tous plaidaient la discrimination causée par l'imposition fiscale qui les pénalisait de par leur statut de conjoints séparés ou divorcés, parents et gardiens d'enfants, à qui une pension alimentaire avait été accordée pour l'entretien exclusif de leurs enfants.

Susan Thibaudeau instituera donc un recours collectif, procédure qui permet de représenter un grand nombre de personnes sans que celles-ci aient à intervenir directement en cour. Parallèlement à ce recours collectif, présenté devant la Cour supérieure, elle déposera un recours personnel devant la Cour canadienne de l'impôt où elle s'occupera, cette fois, de son propre cas en contestant personnellement les montants qu'on lui réclame. Dans les deux cas, les conclusions juridiques demandées sont les mêmes, seul le véhicule change. Le premier vise à faire reconnaître les prétentions d'un ensemble de personnes placées dans des situations semblables ; le second est personnel. Les deux se complètent.

En d'autres mots, l'enjeu était de faire annuler par les tribunaux certains articles de la *Loi de l'impôt sur le revenu* qui obligeaient les conjoints séparés ou divorcés, parents gardiens d'enfants, à déclarer dans leurs propres revenus la pension alimentaire qu'ils recevaient pour l'entretien exclusif de leurs enfants. Il n'était donc pas question des parents qui recevaient des sommes pour leur entretien personnel ou encore pour leur entretien et celui des enfants. Nous n'étions intéressés que par la situation juridique des parents gardiens d'enfants qui, séparés ou divorcés, recevaient de l'argent pour les besoins exclusifs de leurs enfants. Nous voulions faire annuler les articles de loi et les faire déclarer discriminatoires dans la mesure où, premièrement, cette imposition fiscale n'incombait qu'aux conjoints séparés ou divorcés, parents gardiens d'enfants à qui une pension alimentaire avait été accordée pour l'entretien exclusif des enfants et où, deuxièmement, elle ne touchait pas à plusieurs autres catégories de personnes qui se trouvaient pourtant dans une situation semblable à celle de Susan Thibaudeau et de ceux que cette dernière représentait. Ces autres catégories de personnes bénéficiaient d'un traitement de faveur et nous jugions donc cette situation inacceptable et discriminatoire.

Par ailleurs, cette demande d'annulation des articles de loi pertinents se doublait d'un autre objectif, soit celui de mettre en lumière les nombreux défauts du système de fixation des pensions alimentaires qui ne réussissait pas, malgré les prétentions du gouvernement fédéral, à compenser les retombées de l'imposition fiscale et du manque à gagner qui en découlait pour les femmes. En effet, le droit de la famille, qui vise prioritairement les besoins des enfants, souffre d'un défaut majeur : il est forcément basé également sur les revenus respectifs des ex-conjoints qui, dans certains cas, ne peuvent payer plus que ce qu'ils gagnent.

Cette situation force souvent le parent gardien d'enfants à absorber la partie du fardeau fiscal que l'autre parent ne peut acquitter. Il était manifeste que les parents gardiens d'enfants, qui sont en majorité des femmes, ne recevaient pas, au moment de l'attribution de la pension alimentaire, une majoration suffisante de cette pension qui leur aurait permis d'éviter les conséquences de l'imposition fiscale exigée par la *Loi de l'impôt sur le revenu*. Le système de fixation des pensions alimentaires, bien qu'il fût parfait en théorie, ne l'était pas en pratique et contribuait directement à enliser davantage les femmes dans la pauvreté. D'un côté, était lourdement imposé un revenu qui ne leur appartenait pas, par les dispositions de la *Loi de l'impôt sur le revenu*; de l'autre, les montants des pensions alimentaires qu'elles recevaient pour compenser cette imposition fiscale n'étaient pas adéquats; ils étaient souvent révisés à la baisse et les femmes se retrouvaient avec une dette fiscale à rembourser.

Qu'adviendra-t-il des futures revendications des femmes? Auront-elles à lutter encore longtemps afin d'obtenir l'égalité? De 1990 à 1995, j'ai plaidé tour à tour, en compagnie de mon associé, Maître Michel C. Bernier, cette discrimination devant les plus hauts tribunaux du pays, en l'occurrence la Cour canadienne de l'impôt, la Cour d'appel fédérale et la Cour suprême du Canada. Le 6 mars 1996, le gouvernement fédéral décidait enfin d'éliminer l'imposition et les déductions des pensions alimentaires. Les choses bougeaient enfin, mais ce n'était qu'un début.

CHAPITRE 1

L'appel

Pour aider le lecteur à bien comprendre le déroulement des faits qui seront relatés tout au long de cet ouvrage, voici un résumé des événements qui ont amené madame Susan Thibaudeau jusqu'en cour suprême du Canada.

Séparée en 1984, elle obtint de la cour la garde de ses deux enfants mineurs. Comme elle ne travaillait pas à ce moment-là, elle recevait une pension alimentaire pour elle et ses enfants de 1 755 $ par mois. À cette époque, considérant qu'elle ne retirait aucun revenu d'emploi, il ne lui fut réclamé aucun impôt par les gouvernements fédéral et provincial.

En 1987, le divorce fut prononcé et madame Thibaudeau décida de retourner sur le marché du travail. Elle parvint à gagner 22 000 $ par année en travaillant comme assistante sociale dans un CLSC, ce qui la rendit autonome au sens de la loi. Lors du prononcé du divorce, parce qu'elle gagnait désormais un salaire, la pension alimentaire fut ramenée à 1 150 $ par mois. Il faut donc noter que cette somme était versée exclusivement pour les enfants.

Pour l'année 1988, le gouvernement fédéral lui réclama près de 4 000 $ en impôt à payer sur les sommes attribuées à ses enfants comme s'il s'agissait de son propre revenu.

Dans le jugement de divorce prononcé le 1er décembre 1987, il était pourtant expressément noté : « Qu'étant donné les revenus des deux parties, madame contribue davantage pour l'entretien de ses enfants à cause de l'incidence fiscale». Cette conclusion du juge, on s'en souvient, découlait directement du fait qu'il avait décidé d'accorder à Susan Thibaudeau une pension alimentaire qui ne pouvait compenser totalement les répercussions de la *Loi de l'impôt sur le revenu* qui l'obligeait à déclarer cette somme dans sa déclaration des revenus. En résumé, la loi l'a obligée à ajouter à ses revenus la pension alimentaire qui appartenait à ses enfants; elle devait ensuite payer l'impôt exigé, mais le tribunal ne lui permettait pas de compenser cet impôt par un accroissement adéquat et correspondant du montant de la pension alimentaire.

Réagissant à ce qu'elle considérait comme une iniquité, Susan Thibaudeau rencontra divers spécialistes qui lui confirmèrent qu'à son revenu, soit environ 22 000 $ par année, elle devait ajouter le montant de la pension alimentaire, soit 13 800 $. Elle se trouvait donc à payer de l'impôt sur un total de 35 800 $ alors qu'elle ne gagnait que 22 000 $ par année. On lui fit remarquer qu'elle devait conserver une tranche de 500 $ par mois sur les 1 150 $ versés par son ex-conjoint si elle voulait être en mesure de payer l'impôt qui lui serait réclamé à la fin de l'année. En d'autres mots, il lui fallait privilégier le gouvernement au détriment de ses propres enfants.

Devant cette injustice flagrante, Susan Thibaudeau entreprit de défendre sa cause et celle de ses enfants en s'engageant dans un combat judiciaire sans merci qui allait la conduire devant la Cour canadienne de l'impôt, la Cour d'appel fédérale et enfin la Cour suprême du Canada. Elle a décidé de prendre la loi fiscale d'assaut, de la secouer et de crier à tous qu'une telle loi entraînait pour des milliers de femmes l'appauvrissement, l'endettement, voire la faillite. Elle refusa d'être considérée par l'État comme une gardienne à qui l'on paie un salaire pour garder ses enfants.

Au cours de ses recherches, elle constata avec surprise que si une tierce personne avait eu la garde de ses deux enfants et qu'on lui eut versé une pension alimentaire exclusivement pour ceux-ci, cette personne n'aurait pas été obligée d'ajouter ces sommes à son propre revenu comme elle devait pourtant le faire, elle, en tant que mère. Ainsi cette tierce personne n'aurait pas à payer de l'impôt sur ce montant à la fin de l'année !

De l'avis de Susan Thibaudeau, la pension alimentaire attribuée pour le bénéfice de ses enfants n'était ni un revenu dont elle profitait personnellement, ni un don de charité, une récompense ou une punition. C'était plutôt un moyen pour les deux parents de remplir leurs devoirs envers leurs enfants, de satisfaire à une obligation morale. Elle considérait aussi qu'il n'y avait aucune raison pour que lui soit donnée une plus grande part de responsabilité financière qu'au père de ses enfants. Elle n'agissait pas par caprice, mais parlait au nom de l'équité et de la justice. Sa cause est devenue, à partir de ce moment-là, la cause de milliers d'autres personnes confrontées à la même difficulté dont la plupart étaient des femmes.

C'est ainsi qu'au mois de septembre 1990, à mon bureau de l'étude d'avocats Bernier, Beaudry et associés, la sonnerie du téléphone retentit et que, pour la première fois, je fus mis au courant de l'affaire Susan Thibaudeau. On me demanda d'aller rejoindre immédiatement mes associés dans la salle de conférence.

Je me retrouvai aussitôt devant une auguste assemblée composée de quatre de mes associés : Maîtres Michel C.

Bernier, Roger Beaudry, Pierre Rioux et Anne Quigley. Dans une atmosphère enfumée et un peu trouble, certains d'entre eux n'ayant pas encore perdu, à l'époque, la mauvaise habitude de fumer, des visages mi-figue mi-raisin se tournèrent dans ma direction.

— De quoi s'agit-il ?

— Nous avons une cliente, m'explique aussitôt Michel Bernier, qui a été reçue à nos bureaux de Montréal ces dernières semaines et que nous représentons dans le cadre de procédures familiales. À l'examen de son dossier, il semble que cette affaire de divorce ait des répercussions beaucoup plus grandes si on l'observe à la lumière des dispositions de la *Loi de l'impôt sur le revenu.*

C'est alors que l'on m'expliqua tous les faits que j'ai résumés plus haut.

Nous avions beau reconnaître que le cas soumis était d'une injustice flagrante, il demeurait néanmoins que nous savions que ce serait difficile à prouver. En effet, il nous semblait évident, à ce moment-là, que contester cet article de loi précis nous entraînerait dans un dédale de procédures judiciaires dont la longueur et la complexité n'auraient d'égal que le peu de succès qu'elles connaîtraient :

— Il faut pourtant tenter le coup, affirma le premier Roger, avec cet air déterminé que je connais bien et qui me rappelle vaguement ses origines de Beauceron. Rien pour me rassurer...

— Qu'est-ce que vous attendez de moi, leur demandai-je alors ?

— On veut que tu plaides l'élément de la discrimination à la lumière des préceptes reconnus dans les chartes.

Ne connaissant pas encore les tenants et les aboutissants de cette cause, je me gardai bien pour le moment de lancer des affirmations gratuites. J'évaluais cependant que je possédais une certaine compétence pour plaider cet aspect de la discrimination en raison de ma formation et de mon expérience professionnelle. J'étais un peu inquiet, mais j'avais grandement envie de m'engager dans cette affaire qui semblait toucher des questions reliées aux droits fondamentaux, lesquelles m'intéressaient particulièrement.

Malgré tout, je ne pus m'empêcher de regarder mes associés d'un air incrédule. Et cette procédure que je n'ai toujours pas terminée et qui m'attend bien rangée sur mon bureau... On veut que je plaide la discrimination dans une telle affaire, rien que ça?

Après quelques explications supplémentaires, je me levai tout de go, tournai les talons et réintégrai mes quartiers, complètement abasourdi par ce mandat qui venait de me tomber dessus et dont pourtant je ne soupçonnais pas encore toute l'ampleur.

CHAPITRE 2

Le scepticisme

Deux jours s'étaient écoulés depuis cette première réunion. Je n'avais toujours pas étudié la *Loi de l'impôt sur le revenu* ni ouvert les ouvrages s'y rapportant que j'avais empruntés à la bibliothèque. Depuis deux jours ils cohabitaient en vrac sur le coin de mon bureau, semblant me narguer chaque fois que je les regardais. Ce n'était pas que je ne voulais pas les étudier ni que j'ignorais le caractère urgent de cette démarche, mais à ce moment-là, je tentais de rassembler mes énergies afin de mieux bondir sur le travail gigantesque que cette cause exigerait de moi dans les prochains mois. C'est pourquoi j'avais décidé de terminer la procédure commencée avant d'y être plongé jusqu'au cou, de fignoler également certaines autres choses qui ne pouvaient attendre. Je voulais connaître le sentiment du devoir accompli avant d'entreprendre cette importante tâche : le « dossier Thibaudeau ».

Quelque temps plus tard, le dossier était enfin ouvert devant moi. Tout était là : la correspondance préliminaire, les notes d'entrevues, les ébauches de procédures et d'interrogatoires étaient placées côte à côte. J'avais tout à portée de la main : les dispositions pertinentes de la loi de même que quelques ouvrages de doctrine qui m'apparaissaient plus intéressants que les autres et qui pouvaient assurément m'aider à me forger une opinion dans cette affaire.

Après deux semaines, je m'échinais encore sur ce dossier afin de trouver tous les arguments qui prouveraient qu'il y avait bel et bien discrimination. Les journées de quinze heures n'étaient pas rares dans cet intervalle et je m'évertuais à me convaincre que le manque de sommeil n'était pas grave, même lorsqu'on est fatigué comme je l'étais.

C'est que j'en avais fait du chemin depuis cette rencontre impromptue avec mes associés. Avec la patience et la détermination d'un moine bénédictin, j'avais empilé tour à tour articles de loi, ouvrages de doctrine, revues spécialisées, autorités jurisprudentielles. Malgré tout, je n'avais lu qu'une infime partie de ce qui a été écrit sur le sujet. Et j'en arrivais toujours au même résultat. Il ne me semblait pas que nos chances de succès fussent assez bonnes pour justifier un investissement de temps et d'argent aussi considérable que celui que nous nous apprêtions à faire. Charité bien ordonnée commence par soi-même et, en vérité, l'article de la *Loi de l'impôt sur le revenu* m'apparaissait tellement incontournable, en dépit de tout ce qu'on pourrait penser et principalement des dispositions de la *Charte canadienne des droits et libertés.* De fait, la conclusion était la suivante : ne soyons point négatif, mais parlons plutôt d'un scepticisme fondé et rationnel qui m'incitait à décliner toute participation dans le fameux dossier Thibaudeau et à me retrancher dans mes quartiers. Qui parle de peur à ce stade? Mon attitude relevait plutôt du doute scientifique de l'avocat rigoureux qui a fait et refait ses vérifications pour en arriver à une conclusion inéluctable. Alors, peut-être valait-il mieux mettre fin sur-le- champ à toutes ces tergiversations et en informer sans fioritures mes associés.

Certes, je constatais qu'il existait par ailleurs quelques points positifs, mais ils étaient si infinitésimaux dans cette mer d'écueils juridiques qu'il valait mieux leur accorder l'intérêt qu'ils méritaient et les considérer avec suspicion. C'est donc un peu consterné que je me résignai à faire part de mes doutes à mon ami et associé Michel Bernier, ce vieux sage qui me tança à son tour :

— Je sais, Richard, que la discrimination n'est pas facile à prouver, mais je pense que nous pouvons, avec beaucoup d'efforts, faire un bon bout de chemin et même avoir gain de cause dans cette affaire.

Avoir gain de cause, trouver la solution, je rêvais ! Il pensait trouver la porte de la caverne d'Ali Baba alors que j'avais l'impression de m'esquinter sur la boîte de Pandore. Néanmoins, mon associé avait raison. J'allais donc m'astreindre à rechercher l'argument miracle, à poursuivre mes pérégrinations intellectuelles et juridiques tant et aussi longtemps que je n'aurais pas compris où le bât blessait et que je n'aurais pas répondu à toutes les questions pertinentes.

Fin septembre 1991. Je travaillais comme un forcené. D'aucuns prétendront que ce n'est pas chose commune pour un avocat. La décence m'empêche de leur dire ce que je pense vraiment. Mais qu'importe ces considérations lorsqu'elles sont confrontées au caractère pragmatique du dossier qui se trouvait toujours devant mes yeux. J'avais maintenant le sentiment d'avoir trouvé l'astuce ou plutôt une des astuces qui, à la lumière de celles qu'avaient trouvées mes associés, pourraient nous permettre de trouver notre chemin à travers ces méandres juridiques.

CHAPITRE 3

Susan Thibaudeau, championne de l'optimisme judiciaire

Au fil des jours, les craintes présentes dès le départ se sont faites complices, elles ont commencé à me tenailler de façon insidieuse. C'est à partir de ce moment-là que j'ai compris réellement ce que signifiait l'expression « avoir les jetons ». J'avais peur d'avoir à franchir les étapes de cette cause extraordinaire, peur de plaider devant d'éminents magistrats, peur de cette victoire éventuelle qui me ferait parvenir au plus haut sommet de satisfaction ou de cette défaite peu glorieuse qui me laisserait un goût amer dans la bouche pour longtemps. Comme je regrettais alors d'être si jeune et de ne pas avoir plus d'expérience !

Le moment était cependant mal choisi pour une psychanalyse approfondie de l'avocat qui, de par sa profession, ergote toujours, passant du chaud au froid, maniant à la fois le glaive et la rose, fanfaronnant pour mieux masquer cette dualité, cette multiplicité de visages. En vérité, je n'avais pas le temps de me poser ces questions et de faire mon examen de conscience.

C'est dans cet état d'esprit que je fis la connaissance de Susan Thibaudeau, celle qui attaquait de front les gouvernements fédéral et provincial.

Cette femme, que je ne connaissais pas encore et pour qui pourtant je travaillais depuis plusieurs semaines déjà, habite Trois-Rivières. Je m'y rendis en voiture, accompagné de Maître Michel Bernier qui s'appliquait à surveiller attentivement la route tandis que je devisais intérieurement sur les principaux points de l'argumentation juridique que nous devions présenter dans quelques minutes. Coupant court à mes réflexions, je demandai abruptement à mon passager ce qu'il pensait de notre cliente :

— Elle est très bien, intelligente et sensible, et elle a bien hâte de te rencontrer, me répondit-il.

— Crois-tu qu'elle soit capable de bien saisir tous les éléments juridiques de notre argumentation et toutes les étapes du processus judiciaire ?

— Attends et tu jugeras par toi-même.

Trois-Rivières, nous y voilà. J'avoue que j'étais un peu anxieux à l'idée de rencontrer cette femme dont j'avais tant entendu parler et qui faisait preuve de beaucoup de courage, car lutter contre le gouvernement constituait, à mon avis, un fait d'armes en soi. Le temps d'arriver dans la salle où tout le monde nous attendait, la voilà déjà qui se lève et qui vient à notre rencontre. Aussitôt les présentations faites, elle me dit sans ambages : « Je sens que nous allons faire une équipe extraordinaire. »

« Je sens », qu'est-ce que ça voulait dire, « Je sens » ? Est-ce qu'elle sentait comme moi que ce ne serait pas du gâteau et qu'il n'y avait rien dans cet immense projet qui tenait de l'appendice nasal ? Qu'il n'était pas question de perception, de sensation ou d'autres émotions impalpables, mais que tout était affaire de raison, de logique et de préparation ?

— Je sais que nous allons gagner et que cette aventure sera extraordinaire, ajouta-t-elle, forte d'un optimisme sans pareil.

Elle ajouta ensuite une série de remarques non moins optimistes qui me laissèrent pantois : « Je savais que nous étions faits pour travailler ensemble » ; « Le destin nous a mis sur la même route pour une raison précise » ; « Nous sommes préparés pour faire de grandes choses ensemble » ; et surtout le fameux « Nous avons les mêmes vibrations ». Elle était la championne de l'optimisme judiciaire, confiante en l'avenir et en elle-même malgré toutes les difficultés qu'elle éprouverait et qu'elle était à même de juger à leur juste valeur.

Susan Thibaudeau, vêtue d'un tailleur bleu marine, bon chic bon genre, parfait sans être ostentatoire, était totalement différente de celle que j'avais imaginée. Avant de la rencontrer, je me la représentais en effet, je ne sais trop pourquoi, comme une femme assez austère, totalement revendicatrice, ultra-féministe et qui devait jeter pêle-mêle dans la bataille toutes les frustrations d'une femme divorcée, responsable de deux enfants qui lui imposaient des sacrifices qu'elle considérait sans doute ne pas lui incomber. Un tyran en jupons quoi ! Au contraire, j'avais devant moi une femme élégante, sobre et sans excès, à l'exception de sa façon désarmante de vous dire en vous regardant droit dans les yeux qu'elle vous aime et vous aime encore.

Lors de cette rencontre, Maître Bernier présenta à Susan Thibaudeau ainsi qu'aux membres de son comité organisateur les arguments qui feraient pencher la balance en notre faveur ainsi que les démarches juridiques que la cause nécessiterait.

— Pas de problème, nous aussi nous avons pensé à quelques points qui pourraient vous aider, nous répondirent-elles.

C'est le moment de parler des autres femmes qui composaient ce comité organisateur qui, à ce stade, ressemblait à un groupe de commandos. D'abord Johanne Fréchette, psychologue, qui travaille en maison d'hébergement pour femmes violentées et qui allait devenir plus tard ma confidente. Elle a toujours su trouver le mot rationnel, c'est-à-dire pas trop émotif, de sorte que je pouvais l'entendre sans me hérisser et surtout sans avoir peur de ce qu'il signifiait. Denise Tremblay, qui est également psychologue, travaille elle aussi en maison d'hébergement; chaque jour, ces affreux batteurs de femmes, elle devait les vilipender en secret en attendant le jour où elle pourrait tous les émasculer. Elle me pardonnera cette première impression comme je me la suis pardonnée, en apprenant qu'il ne fallait pas toujours juger d'après nos propres fantômes et qu'elle était une femme extraordinaire et équilibrée, dotée d'une générosité sans pareille. Marina Dufour, dont le nom évoque des paysages de villégiature, m'apparut sur-le-champ douce et aimable. Roxane Niquet, à l'accent si mélodieux qui chante lorsqu'elle parle, ne chantait que la discrimination sur tous les tons. Enfin, Monique Émond, Marguerite Surprenant et Sylvie Bouchard ont toutes joué à un moment ou l'autre un rôle déterminant dans cette lutte. Tous mes préjugés de mâle macho, que je croyais pourtant inexistants, sont tombés les uns après les autres au cours de cette saga pour être remplacés par une admiration sans bornes pour ces femmes qui, entre la grippe du petit dernier à soigner, le souper à préparer, le travail au bureau et bien d'autres choses encore, tentaient d'améliorer leur sort et celui de milliers d'autres femmes qui n'avaient pas la force ou les ressources pour entreprendre un tel combat.

Discussions, préparation d'une logistique à suivre, de conférences à prévoir, rédaction d'un mémoire succinct exposant les arguments principaux, consultation des groupes de femmes ciblées, collecte de fonds, et cetera : tout ce qu'il y avait à faire avait été également bien soupesé par le comité organisateur. Des soldats en jupons certes, mais des fantassins efficaces et bien préparés. Déjà je me sentais rassuré. Nous formions toute une équipe.

CHAPITRE 4

La rédaction

Voilà, c'était parti, les chiens pisteurs étaient lâchés dans toutes les directions. De ce fouillis de renseignements et de données juridiques, il fallait bien tirer quelque chose qui fût valable et rédiger une première procédure : notre requête pour autorisation d'exercer un recours collectif, requête qui serait instituée en premier lieu contre le gouvernement fédéral. Plusieurs points étaient à considérer : il y avait d'abord le statut de représentante de madame Thibaudeau, puis le caractère homogène du groupe concerné par sa revendication, la question à résoudre qui devait être la même pour toutes les personnes visées par le recours collectif ainsi que plusieurs autres facteurs aussi importants les uns que les autres.

Il fallait donc, à partir d'un enchevêtrement complexe de données factuelles et juridiques, réussir à élaborer un échafaudage cohérent, qui ait de la gueule et qui soit susceptible d'entraîner l'adhésion d'un tribunal éventuel. Tous furent mis à contribution. Je m'efforçai de triturer encore plus les dispositions de la *Charte canadienne des droits et libertés* afin d'apporter le plus d'arguments possible tout en me méfiant du danger qu'il y avait de présenter des moyens d'argumentation trop étendus. Il fallait demeurer circonspect et logique, se conformer le plus possible au texte et aux autorités reconnues sous l'égide du paragraphe 15 (1) de la *Charte canadienne des droits et libertés*, car c'est de cet article dont il s'agissait. La fameuse discrimination, c'est lui qui l'interdit, tempéré bien sûr par son voisin l'article 1 qui, magnanime, permet de restreindre les libertés fondamentales lorsque cette restriction est raisonnable dans une société libre et démocratique. Celui-là m'intéressait moins, mais il faudrait m'y pencher tôt ou tard afin de défendre avec plus d'âpreté mon article préféré.

Depuis le rapatriement de la Constitution et les initiatives adoptées par le gouvernement fédéral sous le règne de Pierre-Elliott Trudeau, la *Charte canadienne des droits et libertés* est enchâssée dans notre Constitution. Utilisée en plusieurs occasions depuis son adoption, principalement par les avocats qui y font des trouvailles juridiques inégalées, cette Charte a, peu à peu, transmis une partie du pouvoir législatif au pouvoir judiciaire, malgré cette distinction théorique qu'on leur reconnaît. En d'autres termes, nos élus doivent toujours se demander, avant d'adopter un projet de loi, si celui-ci franchira la rampe et l'examen des tribunaux; ils doivent souvent en vérifier la validité à la lumière des préceptes reconnus dans cette même Charte. C'est une façon de procéder qui entraîne autant d'inconvénients que d'avantages, mais c'est celle que nous connaissons aujourd'hui et c'est la meilleure que nous ayons trouvée. C'est cette Charte qui m'a permis de soulever la thèse de la discrimination dans l'affaire Susan Thibaudeau et de la faire ultérieurement reconnaître par le gouvernement.

Le 3 juin 1991, la requête pour autorisation d'exercer un recours collectif était instituée dans le district de Montréal entre Susan Thibaudeau et le ministre du Revenu du Canada, marquant le début d'une longue épopée. Substantiellement, cette requête déclarait que la requérante désirait exercer un recours collectif pour le compte des personnes physiques faisant partie du groupe dont elle était elle-même membre et qui se décrivait ainsi : « Tous les contribuables québécois ayant la garde légale d'enfants bénéficiaires exclusifs d'une pension alimentaire auxquels le ministre du Revenu du Canada ajoute aux revenus desdits contribuables les sommes d'argent reçues pour lesdits enfants bénéficiaires d'une pension alimentaire et cotise ou a cotisé pour les années fiscales 1989 et 1990 ces contribuables sur la somme totale artificielle de revenus ainsi créée ».

De façon sommaire, les faits qui donnaient ouverture à un recours individuel de la part de la requérante étaient les suivants : elle est une femme divorcée par jugement prononcé le 1er décembre 1987, elle a la garde des deux enfants issus du mariage des parties et elle reçoit, pour le bénéfice exclusif de ces derniers, une pension alimentaire mensuelle de 1 050 $. Elle a également produit, pour les années d'imposition 1989 et 1990, trois déclarations des revenus distinctes, déclarant pour elle-même son seul revenu d'emploi et pour chacun des deux enfants la moitié de la pension alimentaire versée par son ex-conjoint ; elle a aussi reçu un avis de cotisation injustifié de la part du gouvernement fédéral qui lui réclamait des sommes supplémentaires et elle s'est opposée en bonne et due forme à cet avis de cotisation ; elle n'a, de plus, jamais reçu un revenu supplémentaire à celui qu'elle a déclaré, l'argent versé pour l'entretien de ses enfants ne lui était pas destiné, elle n'en était pas la bénéficiaire et n'en tirait aucun profit. En résumé, elle est une femme, comme 76 % des contribuables ayant la garde des enfants issus du mariage et, par conséquent, l'application des dispositions de la *Loi de l'impôt sur le revenu* créait à son endroit une discrimination à cause de son statut civil, de sa condition sociale et de son sexe.

Dans la même veine, les faits qui donnaient ouverture à un recours individuel de la part des membres inclus au recours collectif étaient que les textes de loi applicables à l'imposition du revenu d'un contribuable étaient identiques pour tous les Canadiens. Les membres de ce recours étaient, par ailleurs, tous des parents ou des ex-conjoints et dans 76 % des cas, des femmes ayant la garde d'enfants issus du mariage qui étaient bénéficiaires exclusives d'une pension alimentaire. Ces derniers cas étaient aussi tous imposés, non seulement sur leur revenu propre, mais aussi sur un revenu artificiellement créé par l'addition audit revenu des sommes reçues pour les enfants issus du mariage et, par conséquent, ils étaient tous tenus de payer l'impôt sur des sommes qui n'étaient pas des revenus pour eux. Enfin, ils avaient tous droit à un remboursement d'impôt payé en trop lorsque c'était le cas.

Le propre du recours collectif est d'entraîner une seule décision qui pourrait s'appliquer à tous les contribuables membres du groupe vivant la même situation. Le cas de Susan Thibaudeau s'appliquait à plusieurs autres personnes placées dans le même contexte. C'est pourquoi il nous fallait instituer un recours collectif afin d'uniformiser la procédure et faire trancher par un seul jugement des questions de faits et de droit identiques, similaires ou connexes.

Le défi consistait donc à faire déclarer les alinéas 56 (1)b), 56 (1)c) et 56 (1)c.1 de la *Loi de l'impôt sur le revenu* discriminatoires dans la mesure où ils imposaient à un certain type de contribuables un fardeau qui ne leur eût point incombé si leur statut civil, leur condition sociale ou leur sexe avaient été différents. En effet, on imposait les ex-conjoints séparés ou divorcés, parents gardiens d'enfants, qui recevaient une pension alimentaire versée pour l'entretien exclusif de leurs enfants. On particularisait donc le statut civil, la condition sociale et évidemment le sexe puisque la grande majorité des parents gardiens d'enfants dans le cadre d'une séparation étaient des femmes.

Afin d'éclairer les profanes, rappelons qu'il existe peu de différences entre l'imposition fiscale exigée par les gouvernements fédéral et provincial. Au fédéral, cette imposition était régie par l'alinéa 56 (1)b) de la *Loi de l'impôt sur le revenu* et, au provincial, par les articles 312a), 312b), 312b.1) et 312b.1iii) de la *Loi sur les impôts.* En ce qui avait trait à leur mécanisme d'application, les deux stigmatisaient le statut de conjoint séparé ou divorcé et visaient à soutirer le plus d'argent possible au contribuable. Seule la sémantique changeait.

Pour en revenir à notre recours, les conclusions recherchées étaient évidemment de rendre inopérant l'alinéa 56 (1)b) et d'ordonner conséquemment au gouvernement fédéral de rembourser tous les impôts perçus en trop. Une réserve était faite quant au droit de la requérante de demander ultérieurement le remboursement d'autres années d'imposition, et plusieurs autres points étaient discutés dans le cadre de cette requête.

Bref, il s'agissait d'un recours passablement complexe où nous devions notamment respecter les modalités du recours collectif et les critères reliés au concept de la discrimination. C'était, en quelque sorte, la version contemporaine des douze travaux d'Hercule. Ce ne serait pas facile, mais j'étais désormais convaincu : il fallait aller de l'avant sans rechigner à l'effort. Il y allait de notre réputation, sans oublier que nous tenions une chance inespérée d'influencer un tant soit peu notre histoire juridique.

Grisé par cette perspective, je dormis encore plus mal pendant les semaines qui suivirent.

CHAPITRE 5

L'interrogatoire

Le 11 septembre 1991, nous nous retrouvions au palais de justice de Montréal, gigantesque et aseptisé comme celui de Québec. Ces édifices me font parfois regretter l'ancien palais de justice de Québec où je n'ai jamais plaidé, mais où j'allais, jeune étudiant, épier les secrets du prétoire. Susan Thibaudeau, accompagnée de ses avocats, s'apprêtait à affronter la mitraille des procureurs mandatés par le ministre du Revenu et le procureur général du Canada qui est mis en cause dans le recours collectif institué sous le numéro 500-06-000006-912.

Il s'agissait maintenant pour les avocats du ministre du Revenu et du procureur général du Canada de vérifier la véracité et l'exactitude de certains allégués contenus dans la déclaration sous serment déposée par Susan Thibaudeau au soutien de la requête. Cet interrogatoire était important parce que, d'une part, il devait permettre à la requérante de donner plus de détails sur le contenu de sa procédure et que, d'autre part, il pourrait ensuite faire partie de la preuve déposée au dossier de la Cour. Après avoir demandé à madame Thibaudeau ce qu'elle considérait être un contribuable, on lui demanda pourquoi elle contestait le fait de payer de l'impôt sur la pension alimentaire versée pour l'entretien de ses enfants. Je reproduis ici les passages les plus pertinents de cet interrogatoire :

...

Q.[1] Vos deux (2) enfants ont quel âge respectivement ?

R. Jean-François a douze (12) ans, Marie-Christine a dix (10) ans.

Q. Et puis au niveau des déclarations fiscales, si je comprends bien, c'est le comptable qui les aurait préparées ?

R. Oui. Moi, c'est le comptable qui a fait mes rapports d'impôt.

Q. Également les rapports d'impôt des enfants ?

R. Pour les enfants.

Q. Et au sous-paragraphe d), est-ce que les enfants, suite à la production des différents rapports d'impôt, ont été cotisés ? Est-ce qu'ils ont reçu des cotisations, un avis quelconque du Ministère fédéral ?

R. Oui, ils ont reçu, bien ce n'est pas un nouvel avis de cotisation, c'est un ajustement par rapport à... parce qu'ils ont payé de l'impôt à même leurs revenus. Alors, étant donné que ça n'a pas été accepté par le gouvernement, ils ont tout réajusté ça. Alors là, ce que moi j'avais payé, ce qu'ils avaient payé à même leurs revenus, bon, là ils sont supposés envoyer un remboursement.

Suivaient toutes les explications entourant la préparation des trois déclarations des revenus remplies pour elle et pour ses enfants ainsi que l'aide apportée par divers organismes dans le traitement de ces documents. Car il faut

1. Pages 13, 14 et 15 des notes sténographiques de l'interrogatoire du 11 septembre 1991.

comprendre que Susan Thibaudeau avait décidé de répartir le montant de la pension alimentaire reçue entre elle et ses deux enfants, ce qui diminuait considérablement l'impôt à payer.

Après avoir donné des détails sur la préparation de ces procédures, le groupe visé par le recours collectif et le traitement des déclarations des revenus, il fallait préciser le nombre de personnes composant le groupe auquel elle prétendait appartenir :

...

Q.[2] Maintenant, on va juste aller un petit peu plus loin pour l'instant. Au paragraphe 4 d) de la requête, vous mentionnez un groupe de l'ordre de cinq cent mille (500 000). Pour l'instant, sous réserve des questions ultérieures que j'aurais à vous poser, prenons pour acquis ce nombre de cinq cent mille (500 000). Lorsque vous mentionnez également, au paragraphe 1 de votre requête, tous les contribuables québécois, comprenant à ce moment-là autant des hommes que des femmes, et je comprends, selon les trois (3) paragraphes que je viens de vous lire que du cinq cent mille (500 000) composant votre groupe, quatre-vingt-dix-neuf pour cent (99 %) seraient des femmes.

R. C'est bien ça.

Q. Juste pour faire un peu de mathématique, c'est la marotte des fiscalistes, le cinq cent mille (500 000), le quatre-vingt-dix-neuf pour cent (99 %) à ce moment-là de femmes représentent quatre cent

2. Pages 13, 14 et 15 des notes sténographiques de l'interrogatoire du 11 septembre 1991.

quatre-vingt-quinze mille (495 000) femmes, donc cinq mille (5 000) hommes, si je comprends bien, le un pour cent (1 %) qui reste.

R. Oui.

Q. Maintenant, pour revenir à mon paragraphe 2 h), et je vais le lire de façon intégrale :

« Elle est une femme, comme quatre-vingt-dix-neuf pour cent (99 %) des contribuables ayant la garde légale et physique des enfants issus du mariage avec son ex-conjoint et l'application pratique des dispositions de la loi crée contre elle une discrimination à cause de son sexe et/ou de son statut d'ex-conjointe ou de parent d'enfants bénéficiant d'une pension alimentaire. »

Quand vous mentionnez une discrimination à cause de son sexe, si je peux me permettre, vous vous trouvez à plaider au nom de quatre-vingt-dix-neuf pour cent (99 %) à ce moment-là des gens.

R. Oui. C'est ça.

Q. Donc, les cinq mille (5 000) hommes qui font partie du groupe que vous représentez, le paragraphe 2 h) ne s'y applique pas. On ne peut pas parler de discrimination fondée sur le sexe pour ces cinq mille (5 000) hommes.

R. C'est pour la femme.

Bien sûr, cette réponse se voulait embryonnaire malgré tous les efforts déployés, car il était manifeste que nous n'avions pas encore recueilli toutes les données sur le sujet. À l'étape où nous nous trouvions, nous ignorions que les statistiques du gouvernement fédéral fixaient à un pourcentage inférieur la proportion de femmes ayant la garde de leurs enfants et administrant pour eux une pension alimentaire. Cependant, la réponse fournie par notre cliente n'était pas très loin de la réalité comme nous le verrons plus loin.

Par ailleurs, Susan Thibaudeau comprenait fort bien qu'il existait également une discrimination fondée sur son statut civil et sa condition sociale ou sa situation familiale. Cependant, elle insistait sur le préjudice qui lui était causé à cause de son sexe d'abord, en répliquant posément, presque à chaque question, que son traitement fiscal aurait été différent si elle avait été un homme. C'était une réponse qui sortait de ses tripes et c'était, dans les circonstances, vraisemblablement la meilleure.

Un peu inquiète, elle ne comprit pas à ce moment-là que certaines de ses réponses ne pouvaient lui être reprochées. En effet, à l'impossible nul n'est tenu. Elle le comprendrait, mais à ce stade-là, en proie aux questions inquisitrices des parties adverses qui faisaient bien leur travail, elle se dit qu'elle aurait pu faire des démarches supplémentaires pour combler ce manque d'information. Travail titanesque s'il en fut !

Ce qui importait le plus, c'était de donner toute l'information pertinente et elle le faisait toujours avec fougue et détermination. Frêle, mais faite d'un seul bloc, elle ne fut jamais désarçonnée par les questions intimidantes des avocats et elle y répondit posément mais fermement sans jamais dévier de la voie qu'elle s'était elle-même tracée.

Une fois discutées les modalités entourant la rédaction des procédures, la définition du groupe visé, le nombre de membres composant ce groupe et la source des renseignements recueillis, qu'allait-il se passer ? Il allait sûrement être question de la pertinence du recours collectif intenté :

Q.[3] Lorsque vous décrivez, je dirais, votre caractère représentatif ou le fait que vous soyez en mesure de représenter les gens, est-ce que c'est exact que vous attachez une grande importance à votre statut de femme, votre statut... au fait que vous soyez une femme?

R. Je pense que si je regarde comment est-ce que ça peut être injuste que, si je vous donne un exemple, c'est que si la pension alimentaire est payable dans les mains d'un autre contribuable, supposons que Maître Roberge reçoit, administre le chèque de pension alimentaire, lui ne paiera pas d'impôt parce que, moi, je suis une femme. Ou si mon enfant, à un moment donné, est comédien puis qu'il a un revenu, à ce moment-là ce n'est pas rajouté sur mes revenus à moi, c'est son revenu à lui. Alors, je suis imposée sur un... pas sur un salaire, je suis imposée à titre de conjoint parce que je suis la mère. On me fait payer un impôt qui ne m'appartient pas.

Q. Mais pour répondre simplement à ma question, est-ce que c'est exact que vous attachez beaucoup d'importance à la situation, au fait que vous soyez une femme?

En effet, Susan Thibaudeau accordait de l'importance au fait d'être une femme! Et pour cause!

R. Bien, j'en attache de l'importance, oui, j'en attache beaucoup d'importance.

3. Pages 28, 29 et 30 des notes sténographiques de l'interrogatoire du 11 septembre 1991.

Toutefois, les procureurs de la partie adverse, qui n'entendaient pas se limiter à ces questions, poursuivirent en interrogeant notre cliente sur l'évaluation municipale de sa maison, la valeur marchande de celle-ci, l'emploi qu'elle avait, le gardiennage de ses deux enfants. On lui demanda encore si ceux-ci prenaient leurs repas avec elle, s'ils allaient parfois tous ensemble au restaurant, quel était leur mode de vie habituel. Les avocats voulurent encore savoir si elle habitait dans la même maison que ses enfants au moment du jugement de divorce et ils abordèrent une foule de questions tout aussi intéressantes qui, à vrai dire, n'intéressaient personne qu'eux-mêmes.

Je me demandais bien, à ce moment-là, où ils voulaient en venir avec cette liste de questions pour le moins superflues. J'en arrivais même à me demander à quel moment on lui demanderait quelle marque de céréales elle préférait pour son petit déjeuner ou encore quelle était sa marge d'erreur au golf !

Certes, je soupçonnais que les représentants du ministre du Revenu et du procureur général du Canada cherchaient par ces questions à mettre en preuve le caractère discrétionnaire de l'administration faite par la mère pour ses enfants en l'interrogeant sur son régime de vie, la valeur de sa maison, la préparation des repas. Nos adversaires tentaient de prouver que Susan Thibaudeau utilisait à sa guise les sommes qu'elle recevait à titre de pension alimentaire pour ses enfants et qu'elle gérait son budget comme bon lui semblait. S'ils réussissaient à prouver ce point, ils franchiraient vite le pas suivant qui consistait à prétendre qu'une mère qui se servait en toute liberté (même si c'était à bon escient) d'une pension alimentaire bénéficiait d'un revenu qu'elle devait divulguer dans sa déclaration des revenus.

Les questions étaient tortueuses, mais l'objectif poursuivi n'en était pas moins clair pour autant.

En écoutant cet interrogatoire, qui visait à miner la crédibilité de notre cliente en sa qualité de représentante au recours collectif, je me disais qu'il fallait être marteau pour frapper toujours sur le même clou. On voulait qu'elle se contredise. Souvent insatisfaits de ses réponses, les avocats du gouvernement lui demandaient finalement de rationaliser le tout (pas dans le sens de réfléchir logiquement, mais dans le sens de conserver à la *Loi de l'impôt sur le revenu* toute son efficacité, sa cohérence, son harmonie, en somme de rationaliser dans le sens où ils l'entendaient). Ce n'est pas difficile à comprendre, semblaient-ils dire : le parti au pouvoir doit pouvoir amasser le plus de sous possible afin d'assurer tout simplement cette sacro-sainte stabilité gouvernementale. C'était si simple...

Malgré les efforts de nos adversaires, nous n'étions pas inquiets. Les événements nous confirmaient que le dossier était bien engagé et que notre cliente avait été bien préparée. Nous trouvions cependant que les avocats de la partie adverse prenaient un temps fou pour en arriver aux mêmes conclusions.

CHAPITRE 6

Le Fonds d'aide aux recours collectifs et la préparation

Dans toute cette affaire, notre motivation première, à mes associés ainsi qu'à moi-même, fut de représenter dignement devant les tribunaux une personne dont les arguments juridiques étaient souverainement importants. Au mois de septembre 1991, même si nous soupçonnions l'ampleur d'un tel recours, personne n'aurait pu prévoir les répercussions extraordinaires qu'aurait cette cause, ni tout le bruit qu'elle ferait. Il ne pouvait donc être question de considérations glorieuses, ni même pécuniaires.

À ce propos, nous ne savions pas à ce moment-là que des sommes faramineuses étaient en jeu ; nous l'avons appris beaucoup plus tard, au fur et à mesure que les impacts fiscaux étaient dévoilés et que des statistiques étaient produites. Ce que nous savions au mois de septembre 1991, c'est que les honoraires d'avocats et les frais juridiques de toutes sortes seraient assurément trop élevés pour que notre cliente puisse les assumer. Aux prises avec cet aspect mercantile mais essentiel de l'administration quotidienne d'un cabinet d'avocats, mon associé, Maître Michel C. Bernier, déposa une demande d'aide financière au Fonds d'aide aux recours collectifs afin d'être en mesure de poursuivre les procédures et de présenter une requête pour obtenir l'autorisation d'exercer un recours collectif. Une audition fut tenue dans le district de Montréal et le 24 septembre 1991, la décision tombait comme un couperet.

Le Fonds d'aide, par la voix de son président et de deux administratrices dûment mandatées, décida, après avoir fait un résumé succinct de toutes les procédures, allant de l'avis officiel d'opposition du 9 mai 1991 jusqu'à la date de sa décision, que la demande d'aide ne répondait pas à deux des trois critères d'attribution prévus à l'article 23 de la *Loi sur le recours collectif*, soit, en l'occurrence, l'apparence de droit de la réclamante et les probabilités d'exercice du recours. En d'autres mots, on ne nous donnerait pas d'argent parce que le droit de Susan Thibaudeau de plaider la discrimination était, en apparence, bien aléatoire et qu'il y avait peu de chances qu'une requête en autorisation d'exercer un recours collectif soit accueillie par un tribunal.

C'est donc dire qu'en plus de rejeter la demande d'aide financière déposée par les avocats Bernier, Beaudry, le Fonds d'aide aux recours collectifs le faisait en discutant des critères d'acceptation du recours collectif qui étaient notre cheval de bataille. Moment difficile. Nous ne pouvions cependant en rester là. Il fallait réagir à cette première décision.

Le 10 octobre 1991, une requête en appel de cette décision fut déposée devant la Cour provinciale du district de Trois-Rivières. Dans cette requête, il était expressément dit que les administrateurs du Fonds d'aide aux recours collectifs avaient confondu la nature du recours exercé par Susan Thibaudeau avec celle d'une action directe en nullité, qu'ils avaient ignoré les décisions antérieures rendues par la Cour supérieure en matière de recours collectif, qu'ils avaient, à l'instar du ministre du Revenu du Canada, interprété erronément la *Loi de l'impôt sur le revenu* et avaient en conséquence mal apprécié la nature du recours de la requérante, qu'ils avaient confondu le recours individuel de Susan Thibaudeau avec le recours d'un groupe de personnes qui, comme elle, étaient victimes de discrimination, et enfin qu'ils avaient mal interprété la formation du groupe représenté par la requérante. Il était donc conséquemment allégué que Susan Thibaudeau répondait à tous les critères d'admissibilité à l'aide financière du Fonds et que la situation financière de cette dernière était telle, au moment de la demande, que sans cette aide, elle ne pouvait exercer son recours collectif.

Environ un mois plus tard, soit le 27 novembre, l'Honorable Pierre Trudel, juge à la Cour du Québec, renversait la décision rendue en première instance au motif que la notion d'apparence de droit n'était pas absolue et que la requérante avait démontré, à la satisfaction du tribunal, que son éventuel recours avait une apparence sérieuse de droit. Selon le tribunal, le recours collectif pouvait se révéler le remède le plus efficace pour abolir une discrimination potentielle qui touchait un très grand nombre de gens et l'appelante avait démontré qu'elle représentait un groupe de femmes qui ne semblait pas réunir une catégorie de personnes dont la classification était prévue par la loi, mais plutôt des personnes dont les intérêts étaient communs. Par conséquent, la demande correspondait aux critères prévus par la loi.

L'appel fut donc accueilli et la requérante déclarée admissible à l'aide financière du Fonds. Ce fut, il faut l'avouer, un soulagement pour elle et pour nous. Même si l'aide accordée n'épongeait évidemment pas toutes les dépenses engagées jusque-là, elle nous permettait de voir la lumière au bout du tunnel et surtout de poursuivre cette grande aventure. Plus que des espèces sonnantes, c'était le carburant qui allait nous permettre d'arriver à bon port.

Le 10 août 1992, presque neuf mois plus tard, une demande d'aide financière supplémentaire était présentée devant le Fonds d'aide aux recours collectifs, car il était manifeste que les sommes accordées le 18 décembre 1991 et le 15 janvier 1992 ne suffiraient pas à couvrir tous les frais engendrés par cette extraordinaire affaire judiciaire. Le 15 octobre de la même année, cette demande supplémentaire était rejetée parce que les parties n'avaient pas encore débattu la requête pour autoriser le recours collectif et que cette demande était peut-être prématurée. Les droits de Susan Thibaudeau étaient cependant réservés pour toute demande d'aide supplémentaire qui s'avérerait nécessaire lors de l'autorisation éventuelle, par un tribunal, d'un tel recours collectif. Nous étions sur la bonne voie !

CHAPITRE 7

La charge de la cavalerie

Une fois produite notre requête pour autorisation d'exercer un recours collectif, après que les interrogatoires au préalable furent complétés, il n'y avait plus qu'à attendre de recevoir les arguments écrits du ministre du Revenu et du procureur général du Canada. Par jugement rendu le 12 septembre 1991 dans le district de Montréal, l'Honorable Lise Lemieux, juge à la Cour supérieure, entérinait une convention intervenue entre les procureurs au dossier suivant laquelle une contestation écrite et une intervention seraient respectivement produites, dans les 30 jours suivant le jugement, par le ministre du Revenu du Canada et le procureur général du Québec, nouvel intervenant dans cette affaire.

Le 11 octobre 1991, la charge était sonnée. Une procédure exhaustive de onze pages rédigée par les procureurs de la partie adverse, contestait la validité du recours collectif institué par Susan Thibaudeau en prétendant que la requête était intentée contre la mauvaise personne, que la Cour supérieure n'avait pas compétence pour certaines des conclusions recherchées et que la requête instituée ne répondait pas aux prescriptions juridiques relatives au recours collectif : plus précisément, en ce qui avait trait à ces prescriptions qui n'auraient pas été respectées, on prétendait que les recours des membres ne soulevaient pas des questions de droit ou de faits identiques, similaires ou connexes, que les faits allégués ne paraissaient pas justifier les conclusions recherchées, que la composition du groupe n'était pas parfaite et que la requérante Susan Thibaudeau n'était pas en mesure d'assumer une représentation adéquate de ses membres. On tirait à boulets rouges sur tout ce qui bougeait. Notons ici, pour les profanes, que c'est le propre du recours collectif que d'avoir un représentant qui traitera la cause au nom du groupe concerné : cette personne se trouve dans la même situation que les membres de ce groupe homogène, lequel a tout intérêt à faire trancher par un seul jugement une question juridique qui est la même pour tous.

Comme nos adversaires savaient que nous étions capables d'en prendre, ce fut ensuite au tour du procureur général du Québec de produire, le 15 octobre 1991, au dossier de la Cour, une intervention « assez sommaire » de 27 pages. Ce même procureur général du Québec récidivait le 28 octobre suivant en déposant une intervention amendée (l'amendement consiste, entre autres choses, à corriger la première procédure que nous avons jugée imparfaite ou inexacte sur certains points) qui reprenait, à peu de choses près, les mêmes arguments que le ministre du Revenu du Canada. Encore une fois, on prétendait que la catégorie de personnes visée par le recours collectif ne formait pas un groupe homogène, que les recours de ses membres ne soulevaient pas des questions de faits et de droit identiques, similaires ou connexes et que la requérante Susan Thibaudeau n'était pas en mesure d'assurer une représentation adéquate de ceux-ci.

La requête pour autorisation d'exercer un recours collectif étant instituée, la contestation de cette dernière de même que l'intervention ayant été dûment produites par le ministre du Revenu du Canada et le procureur général du Québec, tout était désormais en place afin que nous continuions nos procédures.

Cependant, beaucoup d'eau allait couler sous les ponts avant que nous puissions poursuivre nos démarches en Cour supérieure. En effet, des impératifs pécuniaires et des délais démesurément longs nous firent voir l'avantage qu'il y aurait à faire valoir nos arguments juridiques dans le cadre du recours intenté par Susan Thibaudeau, non pas en sa qualité de représentante des membres visés par le recours collectif, mais comme opposante personnelle à l'avis que le ministère du Revenu du Canada lui avait envoyé après avoir reçu ses déclarations des revenus. En effet, des auditions devant la Cour canadienne de l'impôt, puis devant la Cour d'appel fédérale, et enfin devant la Cour suprême du Canada dans le dossier personnel de Susan Thibaudeau, entraîneraient des conclusions vraisemblablement beaucoup plus rapides que le recours collectif dont le mécanisme lourd et complexe causait de nombreux délais.

Il fut donc décidé à l'unanimité de suspendre temporairement les procédures pendantes devant la Cour supérieure afin d'accélérer le déroulement du dossier personnel de Susan Thibaudeau et, notamment, en appeler devant la Cour canadienne de l'impôt dans le but de faire renverser la décision qui avait rejeté l'avis d'opposition de notre cliente.

En résumé, c'eût été pure folie que de poursuivre en Cour supérieure le recours collectif institué par Susan Thibaudeau dans la mesure où le recours collectif était plus long et plus complexe à traiter qu'un recours personnel puisqu'il concernait évidemment beaucoup plus de gens et dans la mesure où nous n'avions pas suffisamment d'argent ni de temps pour le faire. Il valait donc mieux prendre le dossier personnel de Susan Thibaudeau comme cheval de bataille et le débattre d'abord devant la Cour canadienne de l'impôt qui jugerait de la recevabilité de l'avis d'opposition formulé par notre cliente ; aller ensuite devant la Cour d'appel fédérale et finalement devant la Cour suprême du Canada qui rendrait un jugement ultime sur la question de la discrimination. Même s'il y avait trois paliers de juridiction avant d'en arriver à une décision finale, le processus était beaucoup plus rapide puisqu'il s'agissait du dossier personnel de Susan Thibaudeau et non pas d'un recours collectif regroupant des milliers de personnes dont les critères de recevabilité étaient plus difficiles à cerner.

Il était donc préférable pour nous de laisser de côté temporairement le recours collectif. D'autant plus qu'une fois ce dossier jugé par la Cour suprême du Canada (il y avait tout lieu de croire que cette cause se rendrait jusqu'à cette étape), sa décision constituerait un éclairage ultime et définitif sur la validité de notre recours collectif. En effet, si Susan Thibaudeau avait raison devant la Cour suprême en ce qui avait trait à son dossier personnel, il y avait alors de fortes chances qu'il s'agisse d'une équation parfaite pour que toutes les autres personnes placées dans sa situation bénéficient du même droit et que le recours collectif soit accueilli. Si elle perdait devant la Cour suprême, cela nous donnerait de précieuses indications sur les difficultés du recours collectif. Plus rapide donc, parce que moins complexe et tout aussi efficace. Il fallait réorienter notre stratégie.

De toute manière, peu importait le chemin procédural, c'était la même question de fond que nous allions soumettre aux tribunaux : l'imposition des pensions alimentaires pour les enfants était-elle discriminatoire ?

CHAPITRE 8

L'audition devant la Cour canadienne de l'impôt

Comme on le sait maintenant, Susan Thibaudeau contestait l'avis de cotisation reçu pour l'année 1989 parce que le ministère du Revenu du Canada calculait l'imposition sur un revenu dont elle n'était pas bénéficiaire, par l'ajout à son propre revenu de la pension alimentaire versée exclusivement pour ses deux enfants.

Comprenant fort bien les impératifs qui nous guidaient dans la conduite de nos procédures, elle consentit, lorsque nous lui en parlâmes, à suspendre les procédures devant la Cour supérieure pour accélérer le règlement de son dossier personnel devant la Cour canadienne de l'impôt.

Le 25 octobre 1991, nous déposâmes devant cette Cour un avis d'appel contestant la décision du Ministère. Le 6 décembre suivant, réponse était donnée par l'obstiné ministre du Revenu du Canada qui n'en finissait pas de contester les arguments factuels et juridiques de Susan Thibaudeau.

Le 26 mars 1992, débutait l'audition devant la Cour canadienne de l'impôt du district de Montréal. La veille, Maître Bernier et moi avions passé une partie de la soirée dans un restaurant de Montréal à discuter de ce qui nous attendait. Je lui confiai mon anxiété et mes craintes, ce qui ne le surprit pas outre mesure. Il me confirma qu'il trouvait mes réactions tout à fait naturelles. Je me sentais comme un chrétien qui aurait été volontaire pour se jeter dans la fosse aux lions.

Sans me faire oublier qu'il me fallait plaider le lendemain tout l'aspect de la discrimination et ses incidences juridiques, ces bonnes paroles m'empêchèrent néanmoins de tourner en rond toute la nuit et m'aidèrent à fermer l'œil pour quelques heures.

Je me souviendrai toujours de cette journée-là. Levés à six heures trente, nous ne nous parlâmes presque pas, mon associé et moi, réfléchissant à la preuve qui devait être faite et à nos plaidoiries respectives. La douche, le café, les nouvelles à la télévision (où j'eus juste le temps d'entendre qu'on discutait de l'affaire Susan Thibaudeau) et ça y était : debout dans l'ascenseur, au milieu de nos valises et de nos tonnes de documents, je sentais mon pouls s'accélérer à un rythme effarant sans être certain d'avoir les capacités physiques de le supporter. Mon associé quant à lui affichait son flegme habituel, me taquinant et me répétant que tout allait bien se passer. Je ne demandais pas mieux que de le croire, mais comment croire un avocat, diront les plus sceptiques ?

Nous arrivâmes devant l'édifice où se trouvaient les bureaux de la Cour canadienne de l'impôt. Encore un ascenseur, moi qui me sentais soudain capable de grimper vingt-cinq escaliers de dix étages chacun... Mais paradoxalement, j'avais l'air abattu du type qui saute du trentième étage d'un édifice et qui change d'idée au dix-huitième.

À la cafétéria où nous allâmes prendre notre petit déjeuner, je regardai Maître Bernier qui avalait un croissant format géant dont la vue et l'odeur seules me donnaient la nausée en pareilles circonstances. Comment pouvait-il manger dans un moment pareil ?

Il était neuf heures et quart. Dans quelques minutes, les portes de la Cour allaient s'ouvrir et nous nous installerions devant nos livres et nos statistiques afin de tenter d'éclairer de nos « lumières » le monde juridique. Quant à moi, ma lumière ne m'a jamais paru aussi faible qu'à cet instant précis où je m'assis dans cette Cour imposante, prenant tout de même le temps de remarquer que les décorations et les boiseries (de l'acajou probablement) étaient d'une rare beauté. Neuf heures trente. J'entendis le son de la cloche qui annonçait le premier round. Comme un boxeur un peu groggy avant d'avoir reçu le moindre coup, je m'avançai, chancelant me semblait-il sur mes jambes, parvenant à faire malgré tout comme si je me présentais devant cette Cour tous les matins à la même heure. Je savais que je devais me maîtriser pendant les longues minutes qui allaient suivre ; je ne pouvais pourtant, malgré toute ma volonté, faire disparaître cette nervosité qui me tenaillait. Je comptais sur la clémence de tous les avocats, jeunes ou vieux, qui avaient déjà ressenti ce malaise.

À notre gauche se trouvaient nos deux valeureux adversaires, Maîtres Carole Johnson et Guy Laperrière, que je ne connaissais pas encore, mais dont je saurais apprécier plus tard les mérites, qui passaient fort vraisemblablement comme nous par toute la gamme des émotions, même s'il s'agissait davantage pour moi d'une projection teintée d'empathie que d'une certitude. Je les observai afin de mieux soupeser leurs chances et les nôtres. Je recherchais le moindre indice de leurs forces et de leurs faiblesses. Si je faisais cet examen, c'était surtout à cause d'un réel besoin de me rapprocher de confrères qui traversaient comme moi, mais dans des positions diamétralement opposées, des moments si forts que la tension en était palpable.

Salut discret de part et d'autre, juste avant de nous lever à l'entrée de l'Honorable Alban Garon, juge à la Cour canadienne de l'impôt, suivi des greffiers et de la cohorte habituelle. En ce début d'audition, c'était son tour de se faire scruter. Ce que je vis me soulagea aussitôt. J'eus le sentiment (sentiment qui reposait sur des assises solides et fort logiques) que cet homme était bon et qu'il faciliterait la tâche de tous les intervenants et le déroulement de la justice. Cette impression me rassura quelque peu :

LA GREFFIÈRE[1]:

> Cette séance de la Cour canadienne de l'impôt tenue à Montréal est maintenant ouverte. Monsieur le juge Alban Garon préside l'audience. Vous pouvez vous asseoir. Dans la cause 91-2333 (IT) Susan Thibaudeau, Maître Michel C. Bernier et Maître Richard Bourgault représentent l'appelante et Maître Guy Laperrière représente l'intimée.

Suivirent les exposés de causes respectifs et le début de la preuve. Cet aspect ingrat et difficile incombait à mon associé, Maître Bernier :

MAÎTRE BERNIER :

> Alors, Monsieur le juge, de notre côté, je ferai les interrogatoires et contre-interrogatoires ; j'argumenterai brièvement et c'est mon confrère, Maître Richard Bourgault, qui plaidera avec jurisprudence à l'appui relativement à la Charte.

---

1. Page 6 des notes sténographiques de l'audition tenue le 26 mars 1992 devant la Cour canadienne de l'impôt.

De notre côté nous ferons entendre deux (2) témoins : d'abord madame Susan Thibaudeau et, avec la permission de la Cour, nous demanderons de faire entendre comme témoin expert monsieur Jean-François Drouin, qui est avocat fiscaliste de la firme Coopers, Lybrand.

Les parties ayant présenté les exposés de causes et bien campé leurs positions respectives, la preuve de la requérante Susan Thibaudeau pouvait débuter. Interrogée par mon associé, celle-ci témoigna longuement et avec vigueur, disant toujours des choses raisonnables, mais les affirmant avec passion et conviction. Elle se tenait bien droite à la barre des témoins, prête à livrer combat. Nous le savions.

Maître Bernier lui fit d'abord préciser qu'elle recevait effectivement en 1989, année concernée par notre avis d'opposition, une pension alimentaire pour le bénéfice exclusif de ses enfants. Cette pension alimentaire s'élevait à 1 207,50 $ par mois, avec indexation au coût de la vie. Elle mentionna également au tribunal qu'elle avait compris en 1987 qu'il y avait discrimination si l'on observait la *Loi de l'impôt sur le revenu* et qu'elle avait conséquemment rédigé pour l'année 1988 trois déclarations des revenus différentes, soit une pour elle-même et deux pour ses enfants en répartissant également entre eux la pension alimentaire reçue pour cette année-là. Elle expliqua que la majorité des personnes qui vivaient cette situation étaient des femmes parce que c'étaient les femmes qui obtenaient le plus souvent la garde de leurs enfants. Elle fit un parallèle entre sa situation et celle, par exemple, d'une grand-mère, d'un oncle ou d'une tante qui aurait la garde de ses enfants à elle et qui administrerait le même chèque pour les mêmes besoins. Elle constatait que ces personnes n'auraient pas à payer d'impôt alors qu'elle-même, la mère et l'ex-conjointe, devait le faire.

Le plus injuste, selon elle, c'était d'être imposée sur des revenus qui ne lui appartenaient pas alors que son ex-conjoint, le père qui n'avait pas la garde des enfants, bénéficiait pour sa part d'une déduction sur les sommes qu'il versait pour la pension alimentaire. De l'avis de Susan Thibaudeau, la seule chose qui reliait des ex-conjoints était le bien-être des enfants qu'ils avaient eus ensemble. Elle faisait sa part, puisqu'elle était indépendante économiquement et qu'elle pourvoyait à l'éducation et à l'entretien de son fils et de sa fille. Susan Thibaudeau se trouvait donc à payer l'impôt à la place du père.

Notre plaignante s'éleva également contre le droit du gouvernement d'aller à l'encontre du jugement qui lui avait accordé une pension alimentaire bien définie pour l'entretien exclusif de ses enfants. Ce droit du gouvernement de l'imposer amputait la pension alimentaire qui avait été accordée par le tribunal. On l'obligeait à priver ses enfants de leur dû pour enrichir le gouvernement. Comme le seul choix qui lui restait était de s'endetter pour payer l'impôt ou de donner l'essentiel à ses enfants, elle a décidé de faire trois déclarations des revenus distinctes et de contester ainsi la *Loi de l'impôt sur le revenu.*

Il n'était pas surprenant de l'entendre dire qu'elle n'emprunterait jamais pour payer cet impôt exigé sur la pension alimentaire et qu'elle préférait faire faillite le cas échéant.

On l'interrogea ensuite sur ce sentiment de discrimination qu'elle disait ressentir. La discrimination, selon

Susan Thibaudeau, c'était l'enfer. Elle avait l'impression, comme la majorité des femmes dans sa situation, d'être une gardienne d'enfants à qui l'ex-conjoint payait un salaire pour qu'on le déduise par la suite. Elle se sentait victime de discrimination dans la mesure où on l'imposait à partir d'un statut bien particulier, soit son statut d'ex-conjointe, de femme et de mère. Pour ces raisons, elle refusait de payer les montants réclamés.

Elle ajouta qu'en 1991, on l'avait avisée, au moyen d'un avis de cotisation, que le gouvernement n'acceptait pas sa façon de procéder et qu'elle devait ajouter la pension alimentaire reçue à ses revenus. Qu'à cela ne tienne, à partir de ce moment-là, elle avait décidé de passer à l'action ; elle ne se laisserait pas faire et elle lutterait contre cette pauvreté des femmes, contre cette imposition sournoise qui détériorait leur qualité de vie et pénalisait leurs enfants. Le gouvernement n'avait pas à s'immiscer dans la gestion de la pension alimentaire de ses enfants et elle allait contester de toutes ses forces cette position arbitraire.

Débitant tout cela rapidement, notre cliente fut interrogée par la suite sur ceux qui se trouvaient dans la même situation qu'elle. C'est que nous voulions, même dans le cadre de son recours personnel, avoir des éléments de preuve qui pourraient nous servir éventuellement pour poursuivre le recours collectif.

Susan Thibaudeau ajouta qu'elle se sentait comme un catalyseur et que les gens étaient en train de se réunir autour d'elle, qu'ils se sentaient de plus en plus concernés par le sujet. Elle-même allait d'un groupe à l'autre, donnait des conférences, informait, convaincue d'avoir à jouer un rôle de sensibilisation. Selon les renseignements obtenus, le problème de la discrimination fiscale était maintenant discuté aussi à Vancouver, à Toronto et partout au Canada. Il y avait donc beaucoup de femmes, désormais informées, qui se joignaient à sa démarche et qui l'épaulaient. Elle disposait, au moment de son interrogatoire, d'environ mille inscriptions de femmes qui se trouvaient dans la même situation qu'elle : elles étaient autonomes financièrement et elles recevaient une pension alimentaire pour l'entretien exclusif de leurs enfants.

Même si le témoin avouait avoir peur du gouvernement, se sentir parfois isolée et craindre la pression, l'intimidation et toutes les contraintes qu'on lui imposait, elle sentait qu'elle n'était plus seule dans sa situation et préférait se battre. Elle affirma que les saisies qu'on pouvait administrer sur ses biens ne lui faisaient pas peur et qu'elle les contesterait tout simplement. Selon elle, la *Loi de l'impôt sur le revenu* votée au début des années 1940 était désuète et n'avait pas été adaptée au modèle familial contemporain. Il fallait donc que toutes les femmes du Canada unissent leurs efforts pour faire changer cette loi. Dans tout le pays, des comités d'appui s'étaient formés afin de sensibiliser les personnes qui vivaient la même situation et les persuader de s'inscrire au recours collectif déjà entrepris.

Les questions fusaient. Mon associé s'évertuait à faire ressortir tous les aspects factuels de la discrimination en insistant tour à tour sur le préjudice subi, sur le traitement fiscal différent et sur les motifs de cette différence. Il alla même plus loin en abordant les notions de groupe et de représentation si chères au recours collectif. Un interrogatoire efficace sur tous les plans.

Susan Thibaudeau ajouta encore que ses revenus étaient artificiellement gonflés et qu'en 1989 elle gagnait 21 768 $ et non pas 36 222 $ comme le prétendait le gouvernement en additionnant à son revenu la pension alimentaire reçue pour ses enfants. Elle ajouta que cette imposition représentait une différence d'à peu près 5 000 $ en fin d'année et qu'elle devait payer ce montant sur simple avis. Elle était prête à payer de l'impôt sur son revenu, mais pas sur celui des autres, surtout quand cela pénalisait ses enfants en tout premier lieu.

L'interrogatoire était terminé, mais le témoin ne pouvait pas encore respirer à son aise. Déjà debout, les procureurs de la partie adverse demandaient au tribunal une suspension de l'audience de quelques minutes avant de procéder au contre-interrogatoire, ce qui leur fut accordé. Dans le corridor, Maître Bernier et moi, satisfaits des réponses fournies par notre cliente, étions confiants qu'elle allait tenir le coup lors du contre-interrogatoire serré de nos adversaires. Elle était là, à quelques mètres de nous, entourée d'amies et des membres de son comité organisateur qui n'avaient pas perdu un seul mot de tout son témoignage. Pour ma part, même si j'étais content des résultats obtenus jusque-là, je ne pouvais m'empêcher de craindre un excès de passion qui nous ferait du tort et nuirait considérablement à la crédibilité de notre procédure. J'allai la voir afin de la féliciter. Elle me remercia, ajoutant qu'elle était très nerveuse, mais qu'elle ferait de son mieux.

Le temps d'échanger quelques mots et déjà l'audition de la cause reprenait. Contre-interrogée par Maître Guy Laperrière, elle dut préciser encore certains détails révélés au cours de son interrogatoire principal :

...

Q.[2] Revenant à l'élément du recours collectif, c'est-à-dire les personnes qui reçoivent une pension alimentaire mais pour l'entretien exclusif des enfants, vous avez référé à mille deux cents (1 200) personnes qui sont présentement parties à cette demande d'autorisation au recours collectif et vous avez indiqué que là-dessus il y avait un homme par rapport à mille cent quatre-vingt-dix-neuf (1 199) femmes.

Ma question est la suivante : est-ce que vous auriez d'autres statistiques à soumettre au tribunal concernant la répartition dans des cas de ce genre-là entre hommes et femmes ?

R. Je vais vous dire que les statistiques pour moi, c'est pas ça qui est important. Je n'en ai pas de statistiques. Je m'accroche à mon vécu, je m'accroche à la discrimination, pour moi c'est ça, c'est ce qui est important. De savoir combien, je vous dis qu'il y a beaucoup de gens qui vivent ce que je vis, pour moi je n'en ai pas de chiffres à vous donner. Puis toutes les statistiques que vous allez me demander, je vais vous le dire tout de suite, je n'en ai pas de statistiques. Puis je ne me fie pas à des statistiques.

À partir de ce moment-là, Susan Thibaudeau ne répondit plus précisément aux questions qu'on lui posait. C'était un dossier très émotif pour elle et faisant taire son esprit logique et ordonné, elle laissa soudain toute la place à ses sentiments, à sa passion. Des statistiques, elle n'en

---

2. Pages 61 et 62 des notes sténographiques de l'audition tenue le 26 mars 1992 devant la Cour canadienne de l'impôt.

avait pas et elle n'en avait pas besoin pour comprendre qu'il y avait discrimination à son égard.

Maître Bernier attendit la fin du contre-interrogatoire pour s'avancer et poser quelques questions supplémentaires. Ces questions et les réponses fournies m'apaisèrent et j'oubliai vite ce moment de nervosité chez notre cliente pour réaliser que toutes les données qu'elle avait fournies auparavant étaient très complètes. La première étape m'apparaissait bien franchie.

Maître Bernier fit ensuite appeler Maître Jean-François Drouin de la firme Coopers, Lybrand. Avocat fiscaliste aux mille ressources, témoin d'une rare intelligence, Maître Drouin avait rédigé dans cette cause de nombreuses expertises destinées à faire apparaître le préjudice subi par notre cliente et la discrimination exercée à son endroit. Dans ses rapports, il parlait abondamment des modalités d'application de l'article visé de la *Loi de l'impôt sur le revenu* ainsi que de ses conséquences pécuniaires pour certains groupes de personnes. Au cours de son témoignage, il manipula avec adresse les notions de crédits d'impôt, d'allocations, de montants fiscaux, de déductions permises, et cetera. Tel un jongleur qui fait son numéro, il nous prouva qu'il pouvait avec aisance démontrer au tribunal la justesse de calculs complexes qu'il avait concoctés savamment avant de les exposer dans une expertise sobre et cohérente. De plus, cet expert redoutable se doublait d'un homme charmant, bien modeste malgré sa grande taille.

« Ce qui se conçoit bien s'énonce clairement et les mots pour le dire viennent aisément », disait Boileau. Cet adage s'appliquait fort bien à Maître Drouin qui résumait parfaitement par son témoignage la substance de ses expertises. Jamais il ne se démonta ni ne perdit son flegme qui le servait si bien. Même en contre-interrogatoire, il fut d'une sobriété et d'une clarté extraordinaires, ce qui renforçait d'autant sa crédibilité. On l'attaqua surtout sur l'incidence qu'avaient dans son calcul les allocations versées à Susan Thibaudeau. Selon lui, l'équivalent pour personne mariée, les crédits pour personnes à charge ainsi que le crédit d'impôt pour enfants n'avaient aucune relation directe avec le régime d'inclusion-déduction et ne changeaient rien à l'imposition pernicieuse qui était exigée de la part de la plaignante.

Il fut également question de la possibilité pour les parties de se soustraire à l'application de l'imposition fiscale. Sur ce point, Maître Drouin affirma catégoriquement que même si des ex-conjoints pouvaient décider en théorie d'éviter le mécanisme d'imposition prévu par la loi, ils ne le faisaient pratiquement pas puisque le payeur de pension alimentaire tenait à sa déduction et que la personne qui recevait cette même pension bénéficiait d'une marge de manœuvre très mince dans le cadre de ces négociations.

En résumé, Maître Drouin fit apparaître que ce régime d'inclusion-déduction était inéquitable pour les personnes placées dans la même situation que Susan Thibaudeau, qu'un préjudice pécuniaire important leur était causé en l'espèce par la *Loi de l'impôt sur le revenu*, que ces personnes étaient souvent démunies puisqu'en pratique les conventions de séparation étaient rédigées sur le coin d'une table sans consulter ni avocats ni comptables ou fiscalistes. Bref, il démontra très clairement à notre avis que cette situation était inéquitable dans un système où l'on prône les valeurs d'égalité et d'intérêt social.

Après une autre brève suspension, nous assistâmes au défilé des témoins de la partie adverse ; je parle d'un défilé, car ils étaient en vérité fort nombreux : il y avait un agent des appels pour Revenu Canada, Division de l'impôt, un économiste du ministère des Finances, des statisticiens, des analystes-conseils. Tous étaient au rendez-vous, prêts à pourfendre les prétentions de la requérante. Cette fois-ci, Maître Bernier contre-interrogeait.

Tous ces témoins de la partie adverse étaient fort bien préparés et mon associé eut fort à faire afin de faire ressortir les éléments essentiels de son contre-interrogatoire. Pour ma part, en toute subjectivité, je trouvai que ce fut un succès retentissant :

Q.[3] Cette hypothèse-là fait en sorte que vu qu'il n'y a pas d'inclusion de pension alimentaire dans les revenus d'un récipiendaire, d'une personne qui a les enfants, on suppose qu'on la prive de tous les avantages fiscaux au fait d'avoir des enfants ?

R. Ce qui est une hypothèse extrême.

Q. Donc, on suppose purement et simplement que cette personne-là n'a pas d'enfants à sa charge ?

R. Oui.

Q. Même si elle a la garde de ces enfants-là, même si elle s'en occupe quotidiennement, on suppose qu'elle n'a pas d'enfants ?

R. Oui, c'est ça.

---

3. Page 199 des notes sténographiques de l'audition tenue le 26 mars 1992 devant la Cour canadienne de l'impôt.

Cet aspect du contre-interrogatoire faisait référence aux calculs faits par les économistes et statisticiens du Ministère qui escamotaient dans leurs résultats comptables tous les avantages fiscaux liés au fait d'avoir des enfants lorsque ce parent n'avait pas à inclure, selon l'hypothèse de travail, la pension alimentaire dans ses revenus. Cependant, comme on pouvait le constater dans la réponse fournie par un des témoins de la partie adverse, cette disparition comptable était purement théorique et ne se fondait pas sur la réalité. En effet, supposer qu'un parent qui a la garde de ses enfants et qui s'en occupe quotidiennement n'a par ailleurs pas d'enfant est un exercice intellectuel qui n'est pas à la portée de tous...

...

Q.[4] Mais ce que vous dites, j'y reviendrai tout à l'heure, c'est que l'ensemble du système fiscal est équitable. C'est ça l'essence de votre témoignage?

R. Bien, équitable, ça c'est un jugement de valeur, mais c'est cohérent, disons.

...

Q.[5] Et tout ce que vous pouvez nous dire c'est que, considéré dans son ensemble, le système fiscal est avantageux sur une base statistique pour les personnes qui reçoivent les pensions alimentaires?

R. Peut être avantageux.

Q. Peut être avantageux.

---

4. Page 202 des notes sténographiques de l'audition tenue le 26 mars 1992 devant la Cour canadienne de l'impôt.
5. Page 207 des notes sténographiques de l'audition tenue le 26 mars 1992 devant la Cour canadienne de l'impôt.

R. Je n'irais même pas jusqu'à dire est, ça non plus j'en sais rien.

Q. Puis vous ne pouvez absolument pas vous prononcer sur l'avantage ou le désavantage qu'il peut y avoir pour le groupe restreint de personnes dans le même cas que madame Thibaudeau ?

R. Vous voulez dire, vous voulez que – non, j'ai pas assez d'informations pour ça.

...

Q.[6] Mais c'est possible que des groupes, que vous ne savez pas, puissent être désavantagés par ça ; ce que vous prétendez, c'est qu'ils pourraient s'en sortir d'une façon ou d'une autre. C'est ça ?

R. Qu'il est possible que des personnes soient désavantagées par ça.

Cette réponse constitue un autre morceau de choix pour tous ceux qui savent apprécier les nuances nuancées (ce pléonasme a son utilité) et subtiles. Comment expliquer en effet que les témoins mêmes de la partie adverse aient tant de difficulté à expliquer les bienfaits d'un système présumément parfait, où cohabitent à la fois les vertus de « l'équité, de l'égalité, de la justice et de la tolérance ». Il fallait en conclure qu'un problème sérieux était sous-jacent à l'application des dispositions fiscales visées et qu'un remède devait être apporté.

À la sortie de la Cour, une jeune femme à l'air enjoué m'apostropha gentiment en anglais afin de me demander une entrevue télévisée. Voilà donc à quoi ressemblait une

---

6. Page 214 des notes sténographiques de l'audition tenue le 26 mars 1992 devant la Cour canadienne de l'impôt.

journaliste de la télévision : sérieuse, affable, d'un commerce agréable de toute évidence mais toujours à l'affût de la nouvelle, le micro énorme tendu vers ma bouche, tout le corps inquisiteur. J'attendis, ses questions et y répondis du mieux que je pouvais, après l'avoir prévenue que la cause était encore « sub judice », c'est-à-dire sous l'autorité des tribunaux, et que mes commentaires devaient se limiter à certaines généralités. Elle accepta, heureuse d'avoir quand même une certaine primeur.

La preuve de la partie adverse se poursuivit pendant l'après-midi. Nous eûmes encore droit à des réponses édifiantes, regorgeant de détails techniques et mathématiques. Les parties de témoignages qui suivent s'adressent aux incrédules :

Q.[7] D'accord. Alors, vous indiquiez que les déclarations d'impôt sont produites, et je vous pose la question suivante : est-ce qu'il y a attribution de chaque déclaration produite à une strate ?

R. Oui. L'algorithme vérifie chacune des déclarations qui sont cotisées car le numéro de strate, il permettra plus tard de faire la sélection des déclarations que nous voulons pour notre échantillon.

Q. Alors, si je comprends bien encore une fois, de toutes les dix-huit point cinq millions (18 500 000), à titre d'exemple, vous pourrez préciser le chiffre tout à l'heure, de déclarations qui sont produites, chacune d'entre elles est attribuée à l'une des mille zéro cinquante-six (1 056) strates ?

7. Page 234 des notes sténographiques de l'audition tenue le 26 mars 1992 devant la Cour canadienne de l'impôt.

R. Exactement.

...

Q.[8] D'accord. Alors, quelle est la prochaine étape maintenant que vous avez extrait vos échantillons spécifiques pour les pensions alimentaires?

R. Une fois qu'on a extrait l'échantillon, tous ceux qui avaient, soit inclus ou déduit une pension alimentaire, on doit pondérer ces données-là pour arriver à des chiffres qui représentent l'ensemble de la population des déclarants.

Comme je l'ai mentionné auparavant, l'estimé de la population d'une strate divisé par l'estimé ou l'échantillon donne une valeur – dans l'exemple de la strate numéro 1, était de cinq cent quatre (504). Chacun des dossiers qui est sélectionné pour la strate numéro 1 aurait un poids ou une pondération de cinquante-quatre (54).

Ce qui veut dire que chacun des dossiers qui est choisi dans la strate 1 représente cinquante-quatre (54) déclarants similaires.

Q. Alors, en résumé, sans embarquer trop dans la méthode statistique, l'idée importante est d'attribuer un poids relatif à chacun des trois mille quatre cent quarante et un (3 441) et à chacun des neuf mille sept cent quinze (9 715)?

R. Exactement.

Du coin de l'œil, je surveillais Susan Thibaudeau pour

8. Page 244 et 245 des notes sténographiques de l'audition tenue le 26 mars 1992 devant la Cour canadienne de l'impôt.

voir ce qu'elle pensait de toutes ces strates. J'aurais bien voulu lui signaler que cette abondance de chiffres faisait partie de leur « stratégie ». Encore heureux qu'ils n'utilisent pas la méthode statistique ! Mais je me tus, me contentant d'imaginer la secousse sismique qui ne manquerait pas de se produire si on la rappelait comme témoin dans le cadre d'une éventuelle contre-preuve. Maître Bernier eut une façon bien à lui d'équilibrer un peu les choses et de les remettre dans une juste perspective lorsqu'il fit avouer à l'un des témoins que le gouvernement ne possédait aucune statistique concernant les pensions alimentaires versées pour les enfants seulement.

Toutefois, un des derniers témoins assignés par la partie adverse vint apporter des précisions intéressantes relativement à la garde des enfants et aux parents qui assumaient cette garde. Plus spécifiquement, il fut mis en preuve, par le ministre du Revenu du Canada, qu'en 1988, il y eut 25 954 divorces assortis d'une ordonnance de garde qui ont été prononcés conformément à la loi de 1985. Des 45 421 enfants touchés, 76 % ont été confiés à l'épouse et 12 % à l'époux ; 11 % ont fait l'objet d'une garde conjointe et moins de 1 % d'entre eux ont été confiés à une tierce personne. En 1989, la garde des enfants a été confiée à l'épouse dans 35 978 cas, ce qui représente un pourcentage de 74,2 %. La garde des enfants a été confiée à l'époux dans 6 129 cas, ce qui représente 12,6 % des situations. Une garde conjointe a été accordée à l'époux et à l'épouse dans 6 254 cas, pour un pourcentage de 12,9 %. Enfin, pour la garde accordée à quelqu'un d'autre que l'époux ou l'épouse, on avait répertorié 95 cas, soit un pourcentage de 0,2 %, pour un total de 48 456 cas. Par contre, une fois de plus, et malencontreusement pour le Ministère qui nageait dans une mer de chiffres et de calculs savants, il n'existait aucune statistique concernant le nombre d'époux qui avaient reçu une pension alimentaire pour la garde de leurs enfants.

C'est sur cette note que se termina la preuve présentée par les parties. Nous avions principalement réussi à prouver que l'imposition fiscale éxigée de notre cliente la privait d'un montant important, contrairement à d'autres catégories de personnes placées dans une situation similaire, alors que le gouvernement avait tenté, de son côté, de faire ressortir l'avantage du régime d'inclusion-déduction pour l'ensemble de la famille. Il restait à présenter les plaidoiries respectives qui devaient occuper une bonne partie de la journée du lendemain. Après un repas léger, je passai la soirée à peaufiner les arguments juridiques qui sauraient le mieux convaincre le tribunal. Même si mon plan d'argumentation était déjà bien élaboré, j'ai dû le modifier quelque peu afin d'être en mesure de traiter des différents aspects qui avaient été relevés par la preuve et qui pouvaient être pertinents pour la solution du litige. Je passai en revue les nombreuses pages de notes que j'avais rédigées tout au long de cette journée d'audition, cueillant au passage les éléments les plus importants et je refis ma plaidoirie en entier.

Fin prêt, j'éteignis ma lampe de chevet vers les deux heures du matin en me demandant qui avait bien pu inventer l'expression « dormir à poings fermés ».

CHAPITRE 9

Les plaidoiries

Le lendemain, le vendredi 27 mars 1992, mon associé Maître Bernier commença les plaidoiries en résumant tous les faits recueillis en preuve et en les interprétant à notre avantage. Jonglant avec les statistiques, les calculs, les expertises et les contradictions, il élimina efficacement et systématiquement les éléments présentés par le ministère du Revenu du Canada et insista sur ce qui avait été rapporté par nos propres témoins. Je le regardais tourner inexorablement les pages de sa plaidoirie tout en les comptant à rebours, car je savais fort bien qu'une fois la dernière tournée, il me faudrait me lever et commencer ma propre plaidoirie dont j'avais fixé la durée à environ trois heures.

Arriva le moment fatidique. Moi qui avais plaidé à de multiples reprises auparavant et qui avais agi dans des causes, ma foi, assez difficiles, j'entendis, comme dans un rêve, Maître Bernier annoncer au tribunal que j'allais plaider toute la question de la discrimination au regard des dispositions de la *Loi de l'impôt sur le revenu.* Il me passait le relais afin que je fasse les liens nécessaires entre les faits soumis et l'état du droit en matière de discrimination.

Avant qu'il eût terminé sa phrase, j'étais déjà debout, tout aussi anxieux que la veille et m'efforçant d'avoir l'air décontracté. Je m'entendis dire au tribunal qu'au lieu d'un relais, j'avais plutôt l'impression de prendre le bâton du pèlerin et d'amorcer un voyage difficile mais combien important. J'enchaînai sur cette généralité qu'il m'apparaissait néanmoins indispensable d'énoncer et qui veut que la discrimination ne découle pas seulement des articles de loi et des autorités jurisprudentielles, mais qu'elle réside également et ultimement dans ce sentiment pernicieux ressenti par la personne atteinte dans ses droits fondamentaux. Dans cette veine, assurai-je le tribunal, la personne la mieux placée pour plaider l'élément de discrimination dans la présente cause était madame Thibaudeau elle-même, puisqu'elle était la seule qui pouvait sonder l'insondable, exprimer correctement et véritablement ce qu'elle ressentait au plus profond de ses entrailles lorsqu'elle devait payer l'impôt sur une pension alimentaire qui était versée pour le bénéfice exclusif de ses deux enfants. Néanmoins, nécessité oblige, j'avais la ferme intention d'être extrêmement empathique à son endroit afin de faire ressortir, dans la mesure du possible, cette détresse ressentie par toutes les femmes placées dans la même situation qu'elle et de l'éclairer, par la suite, à la lumière des autorités reconnues en matière de chartes.

Ces jalons étant posés, j'attirai l'attention du tribunal sur l'article concerné de la *Loi de l'impôt sur le revenu*, en décortiquant chaque élément, dans l'intention de prouver que l'imposition fiscale qui y était prévue était intrinsèquement reliée au statut d'ex-conjoint, parent et gardien d'enfants bénéficiaire d'une pension alimentaire payable pour le bénéfice exclusif des enfants. À partir de cette donnée, il fallait démontrer, avec moult détails, la différence qui existait dans le traitement fiscal de ce groupe de personnes par rapport à d'autres groupes, comme les ex-conjoints parents et gardiens d'enfants recevant une pension alimentaire pour le bénéfice exclusif des enfants, mais payable par un autre que l'ex-conjoint, un grand-parent par exemple, qui s'occupe de ses petits-enfants et leur paie une pension alimentaire; par rapport aussi à ces ex-conjoints parents et gardiens d'enfants bénéficiaires d'une pension alimentaire payable dans des conditions autres que celles spécifiquement décrites à l'article de la loi, comme l'attribution d'une somme forfaitaire qui n'aurait pas un caractère alimentaire ou encore qui ne serait pas versée périodiquement.

Différence de traitement fiscal par rapport également à ceux qui recevaient des pensions alimentaires et qui n'étaient pas des ex-conjoints, par exemple une grand-mère recevant la pension alimentaire pour le bénéfice exclusif de ses petits-enfants. Ou encore ce groupe composé d'ex-conjoints parents et gardiens d'enfants qui recevaient de leurs ex-conjoints, et pour le bénéfice exclusif de leurs enfants, une somme qui n'était pas à caractère alimentaire : des revenus de publicité par exemple ou une rente d'un autre type qui serait versée à leur progéniture. Et peut-être la pire discrimination entre les membres du groupe que nous représentions et une autre catégorie : celle des pères. En effet, comment pouvait-on justifier la légitimité d'une loi qui imposait des femmes qui avaient eu le courage d'assumer la garde de leurs enfants dans des conditions parfois très difficiles et qui permettait une déduction aux pères qui n'avaient pas à assumer cette garde? Serait-ce que ce choix, que la plupart des mères faisaient, devait obligatoirement avoir des répercussions financières plus importantes que celles qui existaient déjà dans une situation de garde normale? Devions-nous comprendre que celui qui trouvait plus facile de ne pas assumer la garde de ses enfants, quelles que fussent les raisons qui motivaient cette décision, devait se voir récompensé ?

N'aurait-il pas été plus logique d'aider financièrement le parent qui était le plus susceptible d'avoir des obligations pécuniaires importantes, au lieu de faire le contraire ? Poser la question, c'était y répondre, d'autant plus que le fameux régime d'inclusion-déduction proposé par la partie adverse, qui devait être parfait dans ses principes et dans son application, ne fonctionnait pas pour un grand nombre de personnes. En effet, ce fameux régime, qui devait permettre en théorie au payeur d'une pension alimentaire bénéficiant de déductions d'augmenter le montant de celle-ci, s'avérait être une supercherie et une mystification, car il ne fonctionnait que pour un groupe très particularisé de « bénéficiaires ». Cependant, les déductions étaient toujours appréciées. C'est le cadeau à l'autre bout qui était inacceptable.

Toujours attentif et bienveillant, le juge Alban Garon ponctuait ma plaidoirie de quelques questions bien senties qui allaient toujours au fond du problème et qui me poussaient à étayer au maximum mon argumentation. Je traitai de l'inégalité fiscale entre les groupes concernés, du caractère discriminatoire de cette inégalité qui reposait sur la condition sociale, le statut civil et le sexe, et surtout du préjudice subi qui prenait les formes les plus diverses. Je déposai au tribunal une documentation fort exhaustive de tous les articles de loi pertinents, des ouvrages de doctrine et des autorités jurisprudentielles reliées à cette question. Patiemment, j'épluchai, en les reliant aux faits recueillis, les arrêts et décisions rendus par nos tribunaux ces dernières années, insistant là sur tel point, ici sur tel autre. Pour terminer, j'ajoutai bien haut et bien fort que toutes les statistiques exhibées par la partie adverse n'étaient pas pertinentes, pour ne pas dire impertinentes, et que l'important, selon nous, était plutôt de montrer les personnes en chair et en os qui souffraient d'un préjudice fiscal important et d'un sentiment de rejet extraordinaire. « Point de statistique, ou si peu votre Seigneurie, nous n'avons que des personnes... »

Dans une cause judiciaire, une bonne plaidoirie est cruciale, la qualité principale d'un avocat consistant d'ailleurs à persuader l'auditoire de la valeur de ses arguments. À ce jeu, tous les moyens sont bons, à l'exclusion évidemment de ceux qui ne respectent pas la loi et qui vont à l'encontre du code de déontologie. Un avocat qui sait trouver le bon ton, les bons mots, et qui possède, au surplus, une tête sympathique, peut très bien arriver à infléchir un tribunal dans la mesure certes où son argument est défendable et où il est dévoilé après un maximum de préparation. C'est tellement vrai que pour les cas où plane une grande incertitude, c'est-à-dire quand la loi et la jurisprudence ne sont pas claires, quand les juges ne savent plus, quand le tribunal hésite, la meilleure plaidoirie l'emportera souvent. Le discours fait avec intelligence fera parfois même oublier les références douteuses et les carences de la preuve. L'objectif d'une bonne plaidoirie est de gagner la sympathie et l'accord du tribunal ; un bon avocat est un atout redoutable et une bonne plaidoirie, sa meilleure arme.

Ma plaidoirie dura environ deux heures, puis je sentis près de moi Maître Bernier esquisser un geste pour me signaler qu'il était préférable, à ce stade, de proposer un ajournement à la Cour. Ce que je fis sur-le-champ en jetant un regard sur ma montre. L'avant-midi était presque terminé. Je n'avais pas vu le temps filer. J'étais exténué mais heureux.

Au moment de la pause, je discutais avec Maître Bernier qui me donnait tout l'appui dont j'avais besoin, quand la greffière placide que j'avais remarquée plus tôt s'avança vers nous et nous lança à brûle-pourpoint qu'elle avait entendu dans cette Cour plusieurs plaidoiries, mais qu'elle n'avait encore jamais été émue à ce point. Ceux qui croiront que je rapporte ce commentaire pour ma seule satisfaction déchanteront lorsque je leur dirai que cette phrase est devenue, après la Cour d'appel fédérale, le seul baume qui pût cicatriser nos plaies, le leitmotiv que je ne cessai, pour ma part, de me répéter pour ne pas sombrer dans le découragement. C'est pourquoi je rappelle ici cette phrase qui a été si importante pour nous tout au long de cette affaire, un peu comme un noyé qui s'accroche désespérément à une planche de salut.

À la reprise de l'audience, je continuai de présenter notre cahier d'autorités. Puis il y eut un autre ajournement, cette fois pour nous permettre à tous d'aller dîner.

Au cours du repas, Susan Thibaudeau et ses camarades nous félicitèrent avec chaleur, m'assurant qu'elles avaient eu les larmes aux yeux en écoutant (je n'osai pas leur demander pourquoi) et qu'elles étaient touchées par notre plaidoirie où se mariaient les données juridiques et les sentiments exacerbés. Nous les embrassâmes à notre tour et nous mangeâmes avec délectation, sachant que le combat était pour l'instant suspendu, même si nous devions écouter les plaidoiries de la partie adverse et préparer notre réplique.

Au cours de l'après-midi, je terminai mes représentations. Comme nous l'avions appréhendé, les plaidoiries du ministre du Revenu du Canada furent arides à souhait, bien qu'elles fussent savamment présentées par notre confrère et notre consœur. Nos adversaires firent un travail remarquable. C'était de bonne guerre.

Le 22 juin 1992, troisième journée du procès, cette première audition tenue devant la Cour canadienne de l'impôt prenait fin. Il ne nous restait plus qu'à attendre la suite des événements.

CHAPITRE 10

Le jugement de la Cour canadienne de l'impôt

De retour au bureau, nous reprîmes la routine habituelle : entrevues avec les clients, rédaction de procédures, préparation de requêtes et de procès, vacations à la Cour furent notre lot quotidien durant les semaines qui suivirent. Il y avait pourtant quelque chose de différent. Une certaine effervescence s'était emparée des membres de notre étude et il régnait au bureau une anxiété palpable qui démontrait que tous, sans y faire allusion ouvertement, attendaient avec impatience le résultat de nos pérégrinations judiciaires. Maître Bernier et moi tentions de ne pas aborder inutilement le sujet, nous bornant à réviser les procédures du recours collectif pendantes devant la Cour supérieure et à nous entretenir régulièrement avec notre cliente afin de bien maîtriser la marche à suivre de cet énorme dossier. Nous nous tenions cois sur le résultat de nos efforts et faisions comme si le jugement ne devait jamais tomber, pour ne pas nous exciter inutilement.

Un après-midi du mois d'août 1992, je tentais de faire fonctionner l'ordinateur qui se trouve sur mon bureau et dont la science, fort pratique pourtant, ne m'inspire que des sentiments réfractaires. Je dus sortir malgré moi de cette douce torpeur dans laquelle je me sentais plongé depuis l'audition de la cause quand Maître Bernier défonça presque la porte de mon bureau en y faisant irruption en coup de vent :

— Richard, amène-toi, je viens d'être avisé par le greffe de la Cour canadienne de l'impôt que le jugement nous serait envoyé par télécopieur d'ici quelques minutes.

Béat, je le regardais se démener comme un poisson hors de l'eau tout en étant moi-même incapable d'esquisser le moindre geste :

— Mais, Michel, ça veut dire quoi ça, quelques minutes ?

— Ça veut dire tout de suite.

Et le voilà parti comme une fusée. Il ne me restait plus qu'à le suivre, mais plus posément et plus lentement surtout, car mon associé est un sacré sportif. Le sprint qu'il venait de courir était quelque chose à voir. Je me levai et le retrouvai dans le réduit où étaient placés la photocopieuse et le télécopieur dont la tâche principale consiste à régurgiter chaque jour des centaines de pages de documents. Mon associé ferma nerveusement la porte derrière nous. Religieusement, nous nous mîmes à fixer tous les deux ce maudit appareil qui devait nous donner ce que nous attendions. Je ne me souviens plus exactement des paroles que nous échangeâmes pendant les minutes qui suivirent. Ça ressemblait plutôt à des balbutiements. Encore heureux que Susan Thibaudeau n'ait pas été à nos côtés à ce moment-là. Une crise cardiaque n'aurait servi à personne...

Les yeux rivés sur un bout de page désespérément blanc qui ondulait langoureusement en sortant du ventre de la machine, nous retenions notre respiration :

— Michel, c'est du sadisme ou quoi de nous transmettre d'abord la première page sans que nous puissions lire les conclusions ?

— C'est du sadisme !

— Quelle est la date du jugement?

— J'suis pas encore capable de la lire.

Une page, deux pages, trois pages, quatre pages et hop! une cinquième page. Un vrai roman! Le plus dur était de réussir à terminer la lecture d'une page avant de fondre sur la suivante dont le contenu nous amenait inéluctablement au résultat tant attendu. Le supplice de Tantale. La torture suprême.

Arrivent enfin les dernières pages d'un jugement qui en a 26, et les conclusions. C'est l'assommoir, la désillusion la plus complète! Nous ne sommes plus des avocats, nous sommes des perdus. Qu'on les jette aux lions, ces pauvres chrétiens qui n'amusent plus :

— On a perdu, Richard.

— Je sais.

— Tu t'y attendais?

— Pas du tout!

— Qu'est-ce qu'on fait maintenant?

— On va prendre une brosse.

Le plus dur fut de quitter notre sanctuaire où nous étions parfaitement isolés du monde extérieur afin d'affronter ce public qui comprit notre défaite aussitôt qu'il nous vit apparaître.

Habituellement patient et d'un naturel posé, notre associé Roger Beaudry, qui avait été de tous les combats dans cette affaire, se jeta pourtant sur nous ce jour-là dès qu'il nous vit sortir de la pièce. Voyant notre mine déconfite, il se calma et nous demanda, l'œil doucereux et sur la pointe des pieds, par respect pour nos mauvaises mines, si nous avions gagné :

— Non, Roger, on a perdu. Et il n'y a rien à faire, sauf aller en appel.

Rendons à César ce qui revient à César : Roger, dans ces situations, reste toujours maître de lui-même. Au pied levé, il peut prendre la relève et proposer dix mille solutions de rechange, toutes plus intéressantes les unes que les autres. On peut toujours compter sur lui :

— Hé les gars, ne vous laissez pas abattre, ce n'est que la première manche.

— Ouais...

— Prenez le temps de bien lire le jugement avant de sauter aux conclusions; je vois justement que le juge a reconnu les notions de groupe et de discrimination; il ne vous donne pas raison à cause de la notion de préjudice.

— Oui, mais justement, il y en a un préjudice.

— C'est ça que je dis, vous n'aurez qu'à aller en Cour d'appel et prouver ce dernier point.

— Oui, mais Roger, on pensait l'avoir déjà prouvé.

— Moi, je trouve que les notions de groupe et de discrimination sont fort importantes pour le recours collectif; vous auriez pu gagner dans le dossier personnel de Susan sans que ces notions soient reconnues, ce qui aurait pu vous causer de sérieux ennuis pour le recours collectif. En y pensant bien, c'est presque une bonne affaire...

— Charrie pas, Roger, on pense que la maudite bonne affaire, ça aurait été de gagner.

En fin de compte, je crois maintenant que le plus dur, ce n'était pas de quitter notre refuge, ce fut de se retrouver seul, chacun de son côté, à lire avec plus d'attention ce jugement qui nous faisait mal et avec lequel nous devrions vivre pendant les prochaines semaines. Lorsqu'elle prit connaissance du jugement, Susan Thibaudeau fut aussi, il va sans dire, très déçue, mais elle ne se découragea pas et elle me galvanisa encore lorsqu'elle réaffirma qu'on allait gagner. Quel optimisme quand même ! L'idée d'aller en appel de cette décision lui redonnait des forces. Pour ma part, je pensais que Lamartine, ou mieux, le cynique Beaudelaire, auraient trouvé en cette fin d'après-midi toute l'inspiration nécessaire pour écrire une ode entière à la tristesse.

M'ébrouant, je me résolus à lire attentivement les motifs du juge Alban Garon que je ne pouvais m'empêcher de trouver fort sympathique, malgré la mixture amère qu'il nous servait. Je dus même admettre que son jugement était parfaitement structuré et bien étoffé. J'avais beau ne pas être d'accord avec certaines de ses conclusions dont la principale, qui consistait à rejeter notre appel, il demeurait qu'il reprenait avec exactitude les faits recueillis dans la preuve, qu'il avait compris tous les aspects de l'expertise qu'on lui avait présentée et qu'il faisait plusieurs bonnes inférences, comme celle de reconnaître les notions de groupe et de discrimination. En résumé, j'étais d'accord avec la quasi-totalité de son jugement, à l'exception des dernières pages où il était question de la notion de préjudice. À mon avis, il y avait un préjudice pécuniaire certain, prouvé par des rapports comptables, à devoir payer plus d'impôt.

Pendant les jours qui suivirent, le plus éprouvant fut de lire les journaux et de regarder les nouvelles télévisées. Même si tous ces reportages nous rendaient justice, ils ne faisaient que répéter que nous avions perdu. Rien pour écrire à sa mère. J'en étais à me demander quel genre de pompier j'aurais pu faire, ou encore si j'aurais une bonne clientèle comme psychologue ou médecin.

Quelques mois plus tard, je revis Susan Thibaudeau pour la première fois depuis le jugement. Son comité organisateur ainsi qu'elle-même avaient planifié une conférence de presse à Montréal pour faire le point sur la situation et informer les journalistes au sujet des prochaines étapes. Installées dans un hôtel du centre-ville, ces pionnières nous attendaient pour nous féliciter de nos démarches.

Je n'ai pas grand-chose à dire de cette conférence de presse, hormis le fait qu'elle se déroula promptement. Après que madame Thibaudeau eut rappelé aux journalistes présents que plusieurs étapes restaient encore à venir, que le combat n'était pas terminé, ce fut mon tour de résumer les démarches faites jusque-là et d'émettre des extrapolations juridiques sur ce qui allait probablement se produire ultérieurement. Une période de questions suivit où on me demanda quelles étaient les incidences du jugement rendu, quel était le sentiment généralisé des femmes après cette défaite et quels étaient les projets futurs. Je m'efforçai de répondre du mieux que je pouvais à toutes ces questions.

Après la conférence de presse, les femmes du comité m'invitèrent à dîner. J'acceptai. Susan Thibaudeau, tel un général fier de ses troupes, haranguait la tablée, donnait des conseils à gauche, encourageait à droite, serrant des mains, préparant déjà la prochaine bataille.

CHAPITRE 11

L'escalade

Au mois d'août 1992, une réponse de quelque 60 paragraphes était rédigée, bien brossée, prête à être produite au dossier quant à elle dans le cadre du recours collectif. Notre demande de contrôle judiciaire (un appel en quelque sorte), faite en vertu de l'article 28 de la *Loi sur la Cour fédérale*, était presque terminée. Le 24 septembre 1992, nous produisîmes cette demande de contrôle judiciaire devant la Cour d'appel fédérale.

Substantiellement, il y était allégué que la notion de préjudice subi par l'appelante, Susan Thibaudeau, avait été mal appréciée par le tribunal de la Cour canadienne de l'impôt puisque l'incidence fiscale ne pouvait pas, dans son cas comme dans celui de toutes les autres personnes placées dans la même situation, être appréciée parfaitement par les tribunaux chargés d'accorder des pensions alimentaires. Malgré tous leurs efforts, les contribuables, parents et gardiens d'enfants, à qui une pension alimentaire était versée, devaient toujours payer une certaine somme à même leurs goussets. Par ailleurs, même si ce calcul de l'incidence fiscale était parfaitement effectué par nos tribunaux, ce qui était catégoriquement nié, c'est encore l'appelante et ses semblables qui devaient assumer cette incidence fiscale parfaite en payant à prix fort les comptables, les avocats, les informaticiens et les autres spécialistes indispensables pour parvenir à cette « perfection ». Sans compter les coûts inhérents à la procédure d'appel, dans les cas où il y aurait eu un grain de sable dans le calcul de cette incidence fiscale parfaite, et où la personne qui recevait la pension alimentaire devait se pourvoir devant les tribunaux d'appel pour corriger une erreur.

Pendant que nous préparions nos procédures relatives au dossier d'appel de Susan Thibaudeau, on nous attaqua sur un autre front. En effet, après que les parties se furent entendues pour suspendre temporairement les procédures devant la Cour supérieure, à la suite d'une seconde requête pour autorisation d'exercer un recours collectif instituée cette fois contre le sous-ministre du Revenu du Québec, celui-ci déposa une requête afin de faire valoir des moyens préliminaires et ainsi faire déclarer irrecevable cette seconde procédure déposée cette fois contre le gouvernement provincial. Dans cette requête de 35 paragraphes (vive la prolixité !), il était soumis que le recours collectif n'était pas le véhicule procédural approprié pour faire déclarer une loi inconstitutionnelle ou inopérante, qu'il y avait impossibilité pour les membres du groupe de s'exclure dudit recours collectif, que l'annulation des articles 312a), 312b), 312b.1) et 312b.1iii) de la *Loi sur les impôts* produirait des effets à l'égard de tous les contribuables sans distinction, que des actions en nullité prises par des contribuables individuellement seraient une solution de remplacement valable et enfin que la Cour supérieure n'avait pas juridiction pour ordonner au sous-ministre du Revenu du Québec de rembourser aux contribuables des impôts payés en vertu des lois fiscales.

Sans ambages, on ajoutait encore que la Cour supérieure ne pouvait s'immiscer non plus dans l'administration et l'application des lois fiscales et ainsi se substituer au ministre du Revenu du Québec, que les lois fiscales faisaient partie d'un système de réglementation qu'il ne fallait pas altérer, que les tribunaux devaient donc faire preuve de retenue judiciaire en l'espèce, que l'annulation ou la modification d'une cotisation relevait de la compétence exclusive de la Cour du Québec, qu'il n'y avait pas similitude ou homogénéité entre les membres visés, qu'aucune conclusion en remboursement ne pourrait valoir à l'encontre du sous-ministre du Revenu du Québec, que le Trésor public représentait une valeur fondamentale pour la société (eh oui!), que l'inopérabilité en matière de Charte n'avait pas de portée rétroactive, et qu'enfin le recours collectif institué n'était pas valide à sa face même. Ouf! En avons-nous oublié? Il nous fallait maintenant aller plaider dans le district de Montréal la requête préliminaire que nous avions reçue.

Le 3 juin 1993, l'audition eut lieu à Montréal. Après un déjeuner pris sur le pouce, ce fut le taxi, l'arrivée au palais de justice, la rencontre de mes adversaires, les regards obliques, les moments de concentration avant d'entrer dans l'arène exercer notre pugilat quotidien et surtout le stress, cet inévitable compagnon. Je me retrouvai donc dans une salle située aux étages supérieurs du palais de justice de Montréal pour une audition qui devait se tenir sous la présidence de l'Honorable juge Nicole Duval-Hesler qui, à mon avis, personnifiait la classe et l'intelligence mêmes. Avec méthode, elle demanda d'abord aux deux parties de faire le point sur leurs arguments principaux avant de rentrer dans le vif du sujet. D'une capacité de travail exceptionnelle, elle nous écoutait en pianotant en même temps sur le clavier de son ordinateur les réflexions qu'elle se faisait et qui devaient l'aider dans la rédaction future de son jugement.

Ses questions pertinentes, posées d'une voix calme, aidaient très certainement à débroussailler et à élaguer les propos d'avocats qui répétaient à satiété, de peur d'en oublier et de ne pas être bien compris, les points les plus importants. À la fin de l'audition, ce fut un concert de louanges. Nous la remerciâmes tous pour sa patience et son affabilité. En mon for intérieur, je me disais que c'était cela la justice : des avocats qui tentent de faire de leur mieux, une atmosphère de cordialité et un juge empathique qui prend le temps d'écouter pour rendre la meilleure décision possible.

Le jugement décidant de cette requête préliminaire fut rendu le 10 juin 1993. Il fut prononcé oralement dans la salle 15.01 du palais de justice de Montréal. Il y était mentionné, notamment, que des motifs d'irrecevabilité semblables à ceux présentés par le gouvernement provincial ne pouvaient être soulevés qu'au stade de l'autorisation et non par moyens préliminaires et qu'il fallait laisser aux parties la chance de débattre sur le fond ces questions au moment de l'audition de la requête en autorisation d'exercer le recours collectif. D'ailleurs, selon les propos de la juge, la plus grande partie des autorités produites par le sous-ministre du Revenu du Québec démontraient, à leur face même, que l'irrecevabilité, lorsqu'elle était fondée, était toujours prononcée au stade de l'autorisation d'exercer le recours collectif et non au stade du moyen préliminaire. Pour ces considérations, la requête était donc rejetée avec dépens.

Cette décision mettait fin, pour l'instant, aux efforts des gouvernements pour faire casser ou rejeter nos procédures en recours collectif. Nous allions désormais pouvoir nous concentrer sur l'affaire personnelle de Susan

Thibaudeau qui allait, dans les mois suivants, prendre une ampleur jusqu'alors insoupçonnée. Nous commencions à peine à deviner ce fantastique mouvement populaire qui s'ébranlait.

CHAPITRE 12

Une aide inestimable

Nous avions déposé notre demande de contrôle judiciaire dans le dossier personnel de Susan Thibaudeau devant la Cour d'appel fédérale le 24 septembre 1992. Puis nous avions vécu toutes ces péripéties avec le gouvernement provincial. À ce stade du processus judiciaire, nous nous affairions à parfaire la rédaction de nos procédures pendantes devant la Cour supérieure. Les recours collectifs étaient de consentement suspendus, mais il fallait quand même en compléter la rédaction. Le 27 octobre 1993, nous recevions un appui aussi inconditionnel qu'inattendu. En effet, le groupe de soutien *Support and Custody Orders for Priority Enforcement* (SCOPE), après avoir communiqué avec nous pour nous faire part de ses intentions, déposa au greffe de la Cour d'appel fédérale une requête en intervention pour appuyer l'appel de Susan Thibaudeau. Comme son nom l'indique, SCOPE regroupait les intérêts de plusieurs femmes, parents et gardiens d'enfants qui se trouvaient, à titre de personnes recevant une pension alimentaire accordée pour le bénéfice exclusif de leurs enfants, exactement dans la même situation que Susan Thibaudeau.

Ce groupe ontarien avait suivi attentivement, sans que nous le sachions, le combat que nous avions engagé contre le ministère du Revenu du Canada dans le dossier personnel de Susan Thibaudeau et il veillait au grain. Maître

Mary Eberts, avocate émérite qui avait à son actif plusieurs causes célèbres touchant des questions d'intérêt national, était mandatée par SCOPE pour introduire en preuve certains éléments qui nous étaient jusqu'alors inconnus et pour faire valoir toutes les représentations pertinentes. Je ne la connaissais que de nom, mais je l'admirais beaucoup.

Le 5 novembre suivant, le ministre du Revenu du Canada déposait une opposition à la requête en intervention de SCOPE. Par-delà les motifs qui y étaient exprimés, l'on pouvait sentir et même lire la crainte du gouvernement fédéral de voir arriver dans le débat un groupe de soutien aux griffes si bien aiguisées et qui détenait, lui, des statistiques à la tonne. Comble du bonheur, ces statistiques complétaient à merveille nos expertises et les éléments de preuve qui avaient été soumis à l'attention du tribunal de première instance.

SCOPE ne se laissa pas intimider. Réponse fut faite à l'opposition du gouvernement le 22 novembre 1993, où avec force détails il démontrait à la Cour d'appel fédérale le caractère opportun de cette intervention. Après un jugement intérimaire de la Cour d'appel, reportant temporairement la requête en intervention de SCOPE, celle-ci fut accueillie le 6 décembre suivant aux motifs qu'il s'agissait d'une question d'intérêt national et que les parties devaient avoir toute latitude dans la présentation de leurs arguments afin que les tribunaux soient en mesure de rendre la décision la plus éclairée possible. Au-delà des technicalités juridiques, on respectait le texte et l'esprit de la loi en se donnant les outils pour rendre une justice la plus parfaite possible malgré ses contingences.

Même si Maître Bernier et moi étions préparés pour la présentation de nos arguments, nous soupçonnions bien que l'intervention de SCOPE allait être débattue préliminairement, qu'il lui serait accordé, dans l'éventualité où son intervention serait accueillie, un délai de grâce pour présenter ses documents et son argumentation, et que nous avions bien peu de chances finalement de plaider notre appel à ce moment-là. C'était, en effet, une des conclusions recherchées par SCOPE dans le cadre de sa requête en intervention et une des conséquences de l'approbation, par le tribunal, de cette même requête : le droit de SCOPE de présenter cet argument et de le plaider devant la Cour d'appel fédérale, à l'instar des deux adversaires principaux.

Et c'est bien ainsi que tout se déroula. Après avoir fait la connaissance de notre consœur ontarienne le matin du 6 décembre 1993, nous nous rendîmes à la salle d'audience de la Cour d'appel fédérale. Nous étions cette fois assis à gauche, face au tribunal, alors que les avocats de SCOPE avaient leurs quartiers en plein milieu entre les deux belligérants. Calme et expérimentée, Maître Eberts, à la demande de la Cour, fit valoir les arguments selon lesquels elle pouvait intervenir dans la cause de Susan Thibaudeau et produire toute la documentation pertinente. Ces représentations suscitèrent une réplique assez corsée de la part du ministre du Revenu du Canada qui dénonçait cette façon de faire et décriait l'arrivée impromptue d'un adversaire qu'il savait menaçant. Sa tâche lui apparaissait plus difficile, alors que de notre côté, nous nous réjouissions de cet apport inattendu. Cependant, le gouvernement n'entendait pas se laisser damer le pion par cet intervenant tardif qui changeait les données et ajoutait du piquant au débat.

Jouissant visiblement d'une grande crédibilité auprès des trois juges sur le banc, Maître Eberts progressait calmement dans sa plaidoirie, tirant une à une toutes les ficelles de son expérience, désireuse de prouver au tribunal qu'elle avait raison. Elle était terriblement efficace et nous découvrions en elle une alliée aux ressources inépuisables.

Après un court délibéré, le banc revint nous informer que la requête en intervention de SCOPE était accueillie, que des délais étaient accordés à ses avocats ainsi qu'aux procureurs du gouvernement fédéral pour produire leurs documents. On nous intima également d'être présents les 28 février et 1er mars suivants, dates où la Cour d'appel fédérale entendrait, à Québec, l'appel déposé par Susan Thibaudeau. Deux jours d'audition étaient donc réservés pour débattre toute cette affaire. Cette première étape en Cour d'appel fédérale était franchie et nous pouvions désormais nous consacrer exclusivement à la préparation de l'appel.

CHAPITRE 13

L'angoisse

Les semaines qui suivirent furent presque exclusivement consacrées à la préparation de l'audition devant la Cour d'appel fédérale. En plus de réexaminer tous les éléments présentés en première instance, Maître Bernier servait en quelque sorte de lien entre SCOPE, les autres groupes d'intérêt qui avaient suivi l'exemple de ce dernier et qui s'intéressaient au recours, ainsi que les personnes placées dans la même situation que Susan Thibaudeau et qui avaient besoin d'être renseignées.

Je me trouvai vite dépassé par toutes ces interventions et ces contacts, écrasé sous le poids de toutes les données qu'on nous transmettait quotidiennement. Il pouvait s'agir d'un texte provenant d'une université, d'une opinion doctrinale ou d'une nouvelle transmise par les médias. Ces écrits provenaient du Québec, de l'Ontario, de Winnipeg, de la Colombie-Britannique et même des États-Unis : tous s'étaient donné le mot pour nous tenir au courant des récents développements relatifs à l'affaire Susan Thibaudeau. Tels des entraîneurs de gymnastique qui préparent leur poulain pour une compétition importante, des confrères et des consœurs, des professeurs d'université, des membres du groupe et même des amis s'intéressaient à notre entraînement et s'assuraient ainsi que nous étions à la fine pointe de l'actualité juridique en matière de lois fiscales et de chartes.

Le travail fut donc réparti entre Maître Bernier et moi, sans compter la part indispensable que certains de nos associés et de nos collaboratrices assumaient. Mon associé lisait tout ce qui s'écrivait sur la question des statistiques et de la *Loi de l'impôt sur le revenu.* Quant à moi, je me tapais systématiquement les ouvrages de doctrine, les essais, les nouvelles, les autorités jurisprudentielles qui touchaient à la *Charte canadienne des droits et libertés* ainsi qu'au problème de la discrimination. Régulièrement, nous nous retrouvions pour discuter de nos trouvailles et faire le point sur nos réflexions. Nous pouvions ainsi mieux préparer notre plan d'action et circonscrire les paramètres de notre prochaine plaidoirie.

C'est à cette époque remplie d'effervescence que je reçus plusieurs appels qui venaient d'un peu partout au Canada et que j'ai vite baptisés « les appels à l'aide ». C'est à cette époque également que je compris quel était le plus bel aspect de ma profession. Comme je défendais la cause d'une femme et que cette cause était commune à beaucoup d'autres, des femmes m'appelaient à toute heure pour me demander conseil, me prier de leur venir en aide. Ces femmes me troublaient lorsqu'elles me parlaient de leurs problèmes, car je n'avais malheureusement aucune solution immédiate à leur proposer. Elles me demandaient néanmoins d'en trouver une en un temps record. Elles m'exposaient leur situation, pleines de confiance à mon égard. Au début, je dois avouer que je ne savais pas comment réagir à toutes ces confidences, à ces craintes, à cette révolte qui transparaissait dans leur voix. Chaque semaine, je recevais plusieurs dizaines d'appels qui me laissaient chaque fois abasourdi. Parfois, lorsque j'étais très fatigué, j'avais envie de leur crier d'appeler quelqu'un d'autre, d'oublier mon numéro de téléphone. Il me venait même à l'esprit de leur conseiller de se réconcilier avec leur ex-conjoint, ce qui réglerait tous nos problèmes à elles comme à moi. Cependant, malgré ces émotions contradictoires, je continuais à les écouter patiemment, comme si elles étaient des amies, sans trop pouvoir définir les sentiments qui m'assaillaient à ce moment-là. Ce n'est que beaucoup plus tard que je compris que j'avais peur de les aimer, ces inconnues, ces voix anonymes au bout du fil.

Malgré tous ces appels et toute cette paperasse qu'il nous fallait étudier, nous voyions approcher avec angoisse l'échéance de l'audition en Cour d'appel.

Afin de dissiper cette angoisse, je mis beaucoup de temps à réviser mon dossier pour le connaître en profondeur. J'y passais la plus grande partie de mes soirées et la nuit, je pourfendais en songe des adversaires qui se défendaient très bien, d'après mes souvenirs.

CHAPITRE 14

L'audition devant la Cour d'appel fédérale

Quand vint l'audition devant la Cour d'appel fédérale, nous nous retrouvâmes, mon associé et moi, installés à la gauche du tribunal, assez loin de la magnifique tribune où siègent les juges de cette Cour. Lambrissée de bois, la salle m'apparaissait encore plus belle que celle de la Cour canadienne de l'impôt. Comme vous le constatez, l'intérêt d'un avocat ne se limite pas aux questions juridiques ; l'architecture peut également le fasciner, même dans les moments les plus inappropriés. C'est ce que j'étais en train de souligner à Maître Bernier quand Maître Mary Eberts et son associé, Maître Steve Tenai, nous saluèrent d'un geste discret en s'assoyant à notre droite, formant ainsi un écran entre nous et nos adversaires. Maîtres Carole Johnson et Guy Laperrière étaient, pour leur part, du côté droit de la salle.

Conformément à notre « plan de match » , c'est Maître Bernier qui commença notre plaidoirie. D'un ton pondéré, il prit d'abord le pouls du tribunal en énonçant quelques généralités tout de même importantes ; puis il s'attaqua au vif du sujet. Reprenant avec minutie les commentaires contenus dans le jugement de première instance ainsi que les interrogatoires et les contre-interrogatoires menés dans le cadre de cette audition, il fit apparaître, parfaitement à mon avis, la valeur des expertises que nous avions produites et qui prouvaient que Susan Thibaudeau vivait un préjudice d'abord pécuniaire, ensuite psychologique. Reprenant une à une les données comptables qui avaient été produites par nos experts, il démontra avec beaucoup de justesse la différence nette qui existait entre l'imposition exigée par le gouvernement et les déclarations des revenus remplies par Susan Thibaudeau, pour elle-même et ses enfants.

Après avoir traité de ce préjudice pécuniaire, il enchaîna sur la question de l'atteinte psychologique, attirant l'attention cette fois sur la responsabilité outrageante qu'on infligeait à toutes ces femmes placées dans la même situation que Susan Thibaudeau et qui devaient, dans ce « système parfait », assumer d'abord la garde des enfants, retenir ensuite les services onéreux de comptables, de fiscalistes et d'avocats chevronnés et payer enfin, évidemment, leurs honoraires. Pour sa part, l'époux séparé et père des enfants se voyait récompensé par des déductions importantes qui l'aidaient, fort probablement (il s'agissait d'un calcul mathématique simple sinon d'une « déduction qui va de soi »), à vivre plus confortablement.

Maître Bernier n'a pas une voix de stentor. Il ne fait pas non plus de commentaires fracassants. Ce n'est pas le genre d'avocat du prétoire qu'on ridiculise dans les bandes dessinées pour ses envolées oratoires et ses effets de toge. Efficace et posé, il place un à un et sans précipitation les jalons de son argumentation, étudiant l'effet qu'elle crée, réévaluant à tout instant ses chances de succès. C'est un bon joueur d'échecs; il ne tentera échec et mat que s'il est sûr d'y parvenir. Pour lui, une retraite stratégique et temporaire vaut mieux qu'une défaite cuisante. Il a, de plus, une tête sympathique. Lorsqu'il plaide, on a l'impression qu'il parle à un ami de longue date. Avec un peu d'imagination, on le verrait dans son salon, les pieds dans ses pantoufles, en train de discuter avec une vieille connaissance sur le ton le plus naturel de choses anodines.

Ce que j'aime moins, par contre, c'est lorsqu'il se met à égrener lentement les dernières pages de sa plaidoirie et que mon tour approche. Foutu métier que celui d'avocat ! Enfin, mon tour vint de plaider. Devant moi, les Honorables juges Pratte, Hugessen et Létourneau me regardaient fixement. C'était le genre de situation où je préférerais me retrouver à mille lieues, loin de tout cela. Je dus cependant prendre le taureau par les cornes et faire valoir le plus brillamment possible mes représentations concernant tout l'aspect de la Charte et de la discrimination.

À l'instar de mon associé, mais en insistant sur les points qui m'intéressaient plus particulièrement, je repris calmement les éléments de la preuve qui démontraient l'injustice causée par les dispositions de la *Loi de l'impôt sur le revenu* à madame Thibaudeau et ses semblables par rapport à d'autres groupes de contribuables. Traitant de cette inégalité à la lumière même du libellé de la loi, j'en révélai ensuite les caractéristiques profondes en affirmant qu'il s'agissait d'une distinction fondée sur le statut civil, la condition sociale et le sexe.

Les choses n'allaient pas trop mal. Je plaidais depuis près de deux heures lorsque peu avant l'ajournement du midi, au moment où j'insistais sur la discrimination basée sur la condition sociale des femmes, l'Honorable juge Gilles Létourneau m'interrompit en me lançant sans avertissement qu'il ne me suivait absolument pas sur cette question et que nos chartes avaient réglé, depuis longtemps, les paramètres de la discrimination basée sur la condition sociale, paramètres qui étaient selon lui fort différents de mes prétentions.

Je me mis malgré tout à ramer en sens contraire, tentant de faire la preuve que la condition sociale s'appliquait dans le cas présent. Mes exemples n'eurent pas l'effet escompté. C'est alors que le juge Hugessen nous proposa à tous d'aller dîner afin que nous puissions, moi plus particulièrement, réfléchir sur cette question et formuler une réponse satisfaisante au retour.

Un peu ébranlé, je passai l'heure du dîner avec Susan Thibaudeau, son amie Johanne et mon associé, à vouloir justifier ma position au lieu de réviser mon tir. J'avais l'intime conviction que la condition sociale était une des clés de l'affaire et qu'il ne fallait surtout pas la laisser de côté en dépit de tout. Ce dîner, malgré la sympathique atmosphère de convivialité qui l'entourait, reste pour moi un des pires moments de toute cette affaire.

À la reprise de l'audience, le ciel s'abattit sur ma tête sans crier gare. Alors que j'utilisais les analogies de l'assisté social et du chômeur pour bien faire comprendre les nuances de la condition sociale et de la pauvreté, les trois juges m'interrompirent en chœur, m'assurant qu'ils n'entendaient pas me suivre sur ce terrain. Quelques minutes plus tard, lorsque je voulus faire référence à certaines autorités jurisprudentielles rendues par la Cour supérieure et par la Cour d'appel du Québec, on me tança vertement en me disant que j'étais devant la Cour d'appel fédérale et qu'il était inapproprié de soumettre des décisions d'autorités inférieures (la Cour d'appel fédérale est le second plus haut tribunal au pays après la Cour suprême du Canada). J'eus l'imprudence de faire allusion à mon désir de donner au tribunal tout l'éclairage possible relativement à cette affaire, qu'il s'agît de tribunaux supérieurs ou de tribunaux « inférieurs ». Cela n'arrangea pas mes affaires. Je m'étais mis un pied dans la bouche. Avec un certain courage, je crois, je continuai de braver la tempête qui déferlait en me retenant bien solidement au plan de ma plaidoirie. Rien n'y faisait : le contexte était désormais différent et je savais que mes propos portaient difficilement.

À un certain moment, je me penchai vers Maître Bernier pour lui confier mes états d'âme :

— Tu continues, me répondit-il, ça va bien, parle-leur maintenant de l'arrêt Symes.

— Écoute, je pense qu'un ajournement serait approprié...

— Continue !

Il me voyait m'empêtrer, malgré tous mes efforts pour m'en sortir et tout ce qu'il trouvait à dire c'est : « Continue ! »

Il ne me restait plus qu'à me redresser fièrement, du moins autant que je le pouvais, et à boire la coupe jusqu'à la lie. Maîtrisant ma voix, je me mis à ramer encore plus fort. Traitant cette fois de l'arrêt Symes, une décision de la Cour suprême où il était notamment question de frais de garde d'enfants, je pus faire ressortir quelques points intéressants et clore ma plaidoirie. J'avais plaidé tout près de quatre heures et ça n'avait pas été du gâteau.

La fin de notre plaidoirie coïncidait avec un autre ajournement prononcé par le tribunal. À ma sortie de la salle, je me retrouvai vite au milieu des personnes de mon entourage immédiat qui étaient venues m'encourager. Je me sentais incapable d'affronter les journalistes qui me suivaient à une certaine distance. J'avais l'impression de ne pas avoir fait le poids et je doutais posséder encore ces qualités qui m'avaient tant servi par le passé et sur lesquelles je comptais pour traverser cette épreuve. Mais à ce moment-là j'avais le sentiment d'avoir lamentablement échoué, sans pouvoir bénéficier d'une autre chance.

La bourrasque avait été forte. Je n'avais jamais vécu une expérience semblable auparavant. J'avais une envie irrépressible de quitter les lieux, de ne parler à personne, de me terrer dans un coin perdu où nul ne me reconnaîtrait. Mais il y avait ces journalistes que je ne voulais pas décevoir. Il n'était évidemment pas question de donner des entrevues alors que la cause était pendante, mais je ne pouvais échapper aux salutations d'usage ainsi qu'à quelques commentaires généraux. Susan Thibaudeau vint à ma rencontre :

— C'est une grande plaidoirie, Richard, je suis fière de toi.

— T'es vraiment une irréductible, Susan.

— Je te l'ai toujours dit qu'on gagnerait; t'as sorti le maximum, tu l'as fait avec de beaux mots, avec émotion, avec passion et avec beaucoup d'informations juridiques, tu ne pouvais pas faire plus.

— En tout cas, l'important, c'est que j'ai donné le maximum.

— Écoute ce que je te dis. Je sais que tu n'aimes pas ça quand je te le dis, mais je sens qu'on va gagner et que vous avez été placés sur ma route pour quelque chose de précis.

— Hum, hum...

Décontenancé, je me réfugiai dans les toilettes pour échapper aux témoins de ma déconvenue et tenter de reprendre mes esprits. Ce n'était pas très glorieux, j'en conviens, mais c'était le seul endroit où j'avais l'impression que personne ne viendrait me chercher. J'y passai bien cinq minutes à me regarder dans le miroir et à me demander si j'aurais pu présenter d'autres éléments susceptibles d'infléchir la position du tribunal. En mon âme et conscience, et même si la situation me décourageait, j'avais l'intime conviction d'avoir épuisé toutes les ressources de ma plaidoirie et d'en avoir respecté le contenu à la lettre. Que faire de plus, sinon attendre désormais les plaidoiries de la partie adverse et préparer une réplique éventuelle ?

Rasséréné, j'allai rejoindre notre cliente et Maître Bernier qui discutaient avec des membres du comité organisateur. Nous retournâmes ensuite à nos sièges et nous préparâmes à écouter les représentations de Maître Eberts qui, à cause de son statut d'intervenante, allait plaider la seconde. Ce fut magistral, rien de moins. Avec sobriété mais élégance, les lunettes posées sur le bout de son nez, notre consœur entreprit de faire la démonstration qu'un préjudice pécuniaire direct existait pour les femmes placées dans la même situation que Susan Thibaudeau et que plusieurs statistiques le révélaient.

Elle avait le verbe facile et sans fioritures. Avec une économie de gestes et de paroles, elle attirait à elle, comme un aimant, l'attention du tribunal ; elle le jaugeait régulièrement et se rendait sympathique à la Cour. Ses exemples étaient secs, dénudés, et ils faisaient mouche à tout coup. Sans exagérer, elle fit souvent appel aux nombreux chiffres qu'elle avait déposés en preuve comme statistiques et les vulgarisait au maximum. C'était un exercice de haute voltige, un exemple extraordinaire pour moi, comme l'avait été Maître Bernier dans un style tout différent. Tous deux me faisaient apprécier les qualités inestimables de l'âge et de l'expérience, me prouvant que les étapes étaient faites pour être franchies une à une et non plusieurs à la fois, m'indiquant que même si la valeur n'attend pas le nombre des années, elle a tout intérêt à être patiente.

Ouvrages de doctrine, jurisprudences, statistiques : les documents produits par SCOPE que Maître Eberts s'employait à décortiquer formaient une ronde étourdissante.

Dans ces textes, différents auteurs montraient comment la *Loi de l'impôt sur le revenu* était discriminatoire envers les femmes en raison de leur statut civil, de leur condition sociale et de leur sexe. Ils prouvaient à quel point ce préjudice et cette discrimination découlaient d'un concept fortement patriarcal qui ne pouvait être révisé que par un changement en profondeur de tout notre système social.

Bien sûr, le gouvernement plaidait que les articles visés de la *Loi de l'impôt sur le revenu* favorisaient cinq objectifs fondamentaux. Pour le ministre du Revenu du Canada, les articles prescrivant l'imposition des pensions alimentaires permettaient d'être plus équitable pour le parent qui n'avait pas la garde des enfants, incitaient au paiement des pensions alimentaires, favorisaient l'attribution de pensions alimentaires plus élevées, uniformisaient la situation avec les femmes gardiennes d'enfants qui ne recevaient pas de pension alimentaire et s'inscrivaient enfin dans un système fiscal homogène et symétrique.

Les autorités présentées par SCOPE démontraient que ces objectifs, loin d'avoir été atteints, avaient plutôt instauré un système injuste à l'endroit des femmes parents et gardiennes d'enfants. Ces autorités démontraient aussi que le fameux régime d'inclusion-déduction servait les fins d'une mathématique douteuse, au détriment des mères.

En plus du caractère honorable des objectifs visés par la *Loi de l'impôt sur le revenu*, la partie adverse plaidait qu'en matière de divorce, le tribunal détenait une large discrétion dans l'exercice de sa juridiction au moment d'accorder une pension alimentaire. Cette discrétion découlait, selon le gouvernement, des dispositions contenues dans la *Loi sur le divorce* qui permet au tribunal d'établir une ordonnance alimentaire, de la réviser, de la modifier, de l'annuler ou de la suspendre, selon les circonstances. Cette juridiction étendue reconnue à la Cour supérieure faisait en sorte, selon le ministre du Revenu du Canada, que l'incidence fiscale découlant de la *Loi de l'impôt sur le revenu* pouvait très bien être compensée au moment de l'ordonnance alimentaire et qu'elle l'était effectivement, annihilant ainsi le préjudice « supposé » subi par les femmes gardiennes et parents d'enfants. Encore une fois, les écrits de SCOPE nous permettaient de réfuter ces sophismes en prouvant notamment que l'incidence fiscale n'était pas toujours parfaitement comptabilisée dans la pension alimentaire et qu'il existait souvent un préjudice et un manque à gagner pour la femme. SCOPE osa parfois même faire de l'humour en ridiculisant l'affirmation selon laquelle le père se devait d'avoir la déduction permise puisque, en plus de l'obligation alimentaire qu'il assumait, il se considérait très souvent non pas comme libéré de la responsabilité quotidienne des enfants, mais plutôt relégué, injustement selon lui, au rôle secondaire de parent visiteur ! Loin d'en rire, Susan Thibaudeau, pour sa part, devait vouloir monter aux barricades.

Maître Mary Eberts termina sa brillante plaidoirie. À mon avis, elle avait clairement mis en lumière les lacunes du régime d'inclusion-déduction dans des cas semblables à celui de Susan Thibaudeau et les fausses promesses du droit de la famille qui n'arrivait jamais à compenser l'incidence fiscale discriminatoire.

Après avoir entendu l'appelante principale et l'intervenante, le tribunal entendit cette fois les arguments présentés par Maîtres Carole Johnson et Guy Laperrière. Aussi brillants fussent-ils dans la présentation de leur plaidoirie (à mon grand dam je dois l'avouer), je crains de reproduire dans ces pages la substance de leur propos, plusieurs m'ayant menacé de ne jamais lire ce livre si je leur faisais revivre ce cauchemar. La plaidoirie du gouvernement se termina à la toute fin de la deuxième journée d'audition par les représentations de Maître Johnson qui plaidait encore, tout comme moi, l'aspect de la discrimination. Sa tâche ne fut pas facile et nous échangeâmes quelques regards complices lorsque fut terminée cette audition.

La Cour d'appel fédérale nous annonça alors qu'elle prenait la cause en délibéré et qu'elle allait rendre jugement dans les meilleurs délais possibles. Cette seconde manche était terminée. Il ne restait plus qu'à attendre le résultat de nos efforts. Le soir venu, j'allai panser mes plaies chez des amis de toujours qui m'avaient offert de partager leur repas.

CHAPITRE 15

L'attente

Curieusement, l'attente cette fois nous parut moins pénible. Après l'échec ressenti à la suite du premier jugement, nous savions davantage à quoi nous attendre. L'inconnu avait fait place à une réalité plus modeste. Certes, nous espérions encore renverser le jugement rendu par la Cour canadienne de l'impôt, mais nous avions déjà goûté à l'amertume de la défaite et c'est un goût que l'on n'oublie pas.

Quelquefois, afin de tromper l'attente, je téléphonais à Susan Thibaudeau pour savoir comment elle allait dans les circonstances. Elle allait très bien, c'est tout ce qu'on peut dire. Son extraordinaire optimisme ne la lâchait pas. Comment pouvait-on ne pas ressentir, malgré nos cuirasses, cet optimisme à toute épreuve qui l'habitait, cette joie de vivre et cette confiance inébranlable envers les gens et les événements ? J'étais quand même surpris chaque fois, moi dont la vie est marquée du sceau du scepticisme et de l'empirisme et qui ferais, ma foi, assez bon ménage avec saint Thomas.

Au fil de toutes ces rencontres et conversations téléphoniques avec Susan Thibaudeau, j'avais l'impression de suivre un cours accéléré de « jovialisme » où s'exprimaient la joie, la bonne humeur et la confiance. Non qu'elle eût échappé aux souffrances et aux échecs qui sont l'apanage de chaque être humain ; elle avait certainement eu sa large part de déceptions, tant dans sa vie sentimentale que dans sa vie professionnelle, mais elle persistait à vouloir envisager la vie avec optimisme et sérénité, avec un brin de détachement qui la poussait même à lui faire des clins d'œil malicieux à certains moments.

Aujourd'hui, je crois que son optimisme était nécessaire à l'avancement de cette cause. Bien sûr, comme elle ne possédait pas une formation juridique, elle n'était pas toujours parfaitement consciente des enjeux véritables ni des détails techniques qui y étaient sous-jacents et il était évidemment difficile pour elle de juger objectivement de l'impact de chaque plaidoirie et de l'efficacité de certaines procédures. Mais cela ne la démontait jamais. Il lui arrivait parfois de ne pas être d'accord avec moi sur certains aspects du dossier. Je devais même lui demander par moments de retenir ses commentaires, surtout devant les médias qui la talonnaient, lui conseillant de ne pas afficher une confiance démesurée susceptible de choquer les tribunaux devant lesquels nous plaidions et lui recommandant d'attendre le résultat final avant de crier victoire. Avec le recul, je considère qu'elle a eu raison bien souvent et qu'elle nous a transmis cette force qui l'habitait et qui faisait en sorte que nous puissions aller jusqu'au bout de cette extraordinaire affaire judiciaire.

CHAPITRE 16

Le jugement de la Cour d'appel fédérale

Le 2 mai 1994, en fin d'après-midi, nous reçûmes un appel du greffe de la Cour d'appel fédérale qui nous annonçait que le jugement attendu serait rendu le lendemain matin vers les neuf heures. Contrairement au supplice de la goutte d'eau qu'on nous avait infligé en première instance en nous faisant parvenir par télécopieur le jugement de la Cour canadienne de l'impôt, il fut convenu cette fois que les motifs du jugement nous seraient communiqués par téléphone. Le coup serait donc franc et brutal.

Le lendemain matin, réveillé très tôt, rongé par la nervosité, je tournai en rond pendant de longues minutes, vérifiant pour la millième fois mentalement si tous les points de notre argumentation avaient bien été soumis au tribunal et quelles étaient nos chances de succès. C'était plus fort que moi, je ne pouvais m'empêcher de penser que ce jugement allait très certainement influencer mon humeur au cours des semaines qui suivraient.

Dans la douche (j'aurais dû prévenir le lecteur que ce livre revêtirait un caractère hautement intimiste et que rien ne lui serait épargné de toute cette saga judiciaire), j'eus la certitude que nous avions gagné et que cette journée nous procurerait de grands moments. C'était un sentiment puissant et dénué de toute logique. Comme il persistait, j'osai me dire, au risque évident de me tromper, que cette seconde manche était à nous, que c'était dans la poche comme on dit. À bien y penser, c'est probablement à ce moment précis que j'adhérai, malgré moi, au cercle restreint des optimistes judiciaires. Cela n'avait pas été une mince affaire !

Les quelques minutes qui suivirent mon arrivée au bureau se déroulèrent comme dans un rêve. Je montais les marches du long escalier qui mène au premier étage quand Louise, notre réceptionniste, me lança sur un ton suraigu ce genre de phrase sibylline qui laisse place à l'interprétation :

— Hé, Richard, es-tu au courant de la grande nouvelle qu'on vient de recevoir ?

Ébahi, je me figeai net entre deux marches, la regardant d'un air interrogateur, n'osant supposer quoi que ce soit avant qu'on me le confirme. Je sentais bien que les secondes suivantes seraient déterminantes. Les adeptes du plongeon comprendront que c'était comme sentir le vide lorsque les pieds ont quitté le tremplin. Je plongeai donc :

— Quelle grande nouvelle ?

— Thibaudeau, on a gagné.

— On a quoi ? On a ga...

N'ayant pu, en vertu des lois de la gravité, me maintenir le pied en l'air qu'une fraction de seconde, l'instant d'après je trébuchais, tombant de tout mon long dans l'escalier.

Ma chute déclencha d'ailleurs les éclats de rires de mes confrères où se mêlaient la joie et le soulagement. En quelques secondes il nous semblait que tout avait changé. L'atmosphère était différente et on venait de nous enlever un poids énorme de sur nos épaules.

M'étant relevé, je grimpai quatre à quatre les dernières marches et fis le tour du bureau pour partager cette bonne nouvelle. Autour de moi, tous les visages étaient radieux. Mes associés et tout le personnel du bureau s'étaient levés d'un bond à l'annonce de la nouvelle et venaient un par un ou par petits groupes échanger de solides poignées de main et partager leur joie. C'était la fête! Instant magnifique, féerique! Je reconnaissais mes vrais amis qui, contents de ce succès, me faisaient l'accolade et partageaient de beaux témoignages. Après la pluie, le beau temps, comme dit le proverbe. C'était merveilleux!

Maître Bernier me téléphona du palais de justice de Québec où il s'était rendu pour recevoir les motifs de ce jugement. Ce fut là aussi un beau moment, empreint d'une profonde complicité entre deux personnes qui avaient vécu ensemble tant de précieux instants. Quelques minutes plus tard, c'était à son tour de recevoir les félicitations d'usage; je le regardais avec joie serrer des mains tout en distribuant à la volée des copies du jugement.

Lorsque nous nous retrouvâmes face à face, ce fut de part et d'autre un élan spontané, une accolade d'associés qui se chauffent le dos à force d'y donner des tapes de contentement et de sympathie mutuelle.

Impossible de décrire avec exactitude ce moment magique où vibrèrent à l'unisson des sentiments de joie, d'amitié et de respect profond. Je pensais à la joie de Susan Thibaudeau lorsqu'elle apprendrait ce jugement. De si longs mois d'espoir et de travail acharné avaient enfin porté fruit. Il y a de ces moments où le silence vaut son pesant d'or. On ne peut exprimer, à mon avis, ce qui ne peut l'être sans perdre de sa richesse et de sa saveur.

Durant les heures qui suivirent, notre associé Roger Beaudry fit des pieds et des mains pour organiser une conférence de presse à laquelle seraient conviés tous les journalistes intéressés et où nous pourrions exposer les motifs principaux du jugement de la Cour d'appel fédérale. Ce n'était pas une mince tâche en raison des délais qui lui étaient imposés et des impératifs de l'information qui « exigeaient » que la nouvelle soit diffusée avant les bulletins du soir.

Pendant ce temps, Maître Bernier et moi analysions les motifs du jugement afin d'être en mesure de les discuter devant tous les journalistes qui seraient aux abois dans quelques minutes.

C'est en lisant ces pages écrites par la majorité de la Cour d'appel fédérale que je me réhabilitai en quelque sorte à mes propres yeux. Avec bonheur, je réalisai que les Honorables juges Pratte et Hugessen avaient accepté l'existence d'une discrimination fondée sur le statut civil et sur ce qu'ils appelaient « la situation familiale », alors que la discrimination basée sur le sexe était catégoriquement rejetée. Ne croyant pas que mes modestes propos avaient pu influencer outre mesure le tribunal, j'étais néanmoins très heureux de voir que j'avais eu raison de privilégier la discrimination basée sur le statut civil et la condition sociale au détriment de celle fondée sur le sexe (j'avais à peine effleuré cette dernière, les articles visés m'ayant toujours paru neutres dans leur libellé). Quant à l'expression « situation familiale », elle m'apparaissait voisine des exemples nombreux que nous avions donnés et qui faisaient toujours référence au statut particulier de Susan Thibaudeau et de ses semblables, statut que la loi pénalisait injustement. Nous avions, en effet, longuement argumenté sur le fait que le libellé de la loi et l'application factuelle de ses dispositions visaient précisément les ex-conjoints parents et gardiens d'enfants recevant une pension alimentaire d'un ex-conjoint pour le bénéfice exclusif de leurs enfants. Selon nous, ces conditions particulières d'imposition fiscale étaient intrinsèquement reliées à la séparation des conjoints, ce qui les rendait discriminatoires.

La Cour d'appel fédérale définit également le groupe auquel appartenait Susan Thibaudeau comme celui réunissant les parents séparés ou divorcés qui ont la garde des enfants et qui sont bénéficiaires d'une pension alimentaire pour subvenir aux besoins de ces derniers. Du même souffle, la Cour admit que ce groupe était majoritairement composé de femmes : femmes qui, au Canada, vivaient en beaucoup plus grand nombre que les hommes dans la pauvreté.

Dans son analyse du paragraphe 15 (1) de la *Charte canadienne des droits et libertés*, la Cour d'appel fédérale jugea que le sexe ne constituait pas, dans cette cause, un motif de discrimination dans la mesure où même si l'alinéa 56 (1)b) de la *Loi de l'impôt sur le revenu* avait manifestement plus d'effets préjudiciables sur les femmes que sur les hommes en raison de la décision de celles-ci de conserver la garde des enfants dans les cas de séparation, cet article avait exactement le même effet sur les pères gardiens qui, bien qu'ils fussent largement minoritaires, subissaient eux aussi les affres de l'imposition. On ne pouvait donc parler de discrimination fondée sur le sexe dans ces conditions puisque les deux sexes étaient pareillement touchés lorsqu'ils étaient parents gardiens d'enfants. Cet aspect discriminatoire ne se traitait pas en termes de quantité, à savoir est-ce que plus de femmes que d'hommes étaient touchées, mais plutôt en termes de gravité, à savoir est-ce que les femmes parents et gardiennes d'enfants subissaient un préjudice plus grand que les pères placés dans la même situation. Comme ce traitement n'était pas différent pour les femmes et pour les hommes, et bien que les femmes fussent concernées en plus grand nombre par l'application de l'alinéa 56 (1)b), il ne pouvait y avoir de discrimination fondée sur le sexe. Il s'agissait donc plutôt d'une différence de traitement axée sur le statut civil et la situation familiale des parents gardiens d'enfants.

Toujours d'après la Cour d'appel fédérale, cette stigmatisation fiscale découlait directement du fait que les personnes visées étaient des parents séparés ou divorcés ayant la garde de leurs enfants. Examinant à la loupe ce motif de distinction, le tribunal renchérit en déclarant que le fait d'être séparé ou divorcé et le fait d'être un parent à part entière étaient assurément des caractéristiques personnelles qui tombaient sous l'égide du paragraphe 15 (1) de la *Charte canadienne des droits et libertés.* Nous étions fort heureux de lire ces lignes puisqu'il nous apparaissait, à nous aussi, que le fait d'être parent était quelque chose de fort personnel...

Cette discrimination parut encore plus flagrante lorsque la Cour d'appel fédérale entreprit de faire des comparaisons entre le groupe représenté par Susan Thibaudeau et les autres qui étaient placés dans des conditions similaires, mais qui étaient dispensés de se soumettre à l'application de l'alinéa 56 (1)b) de la *Loi de l'impôt sur le revenu.* En examinant, par exemple, la situation du parent non séparé qui avait la garde de ses enfants (la mère dont le conjoint vivait à l'étranger et qui s'occupait seule de ses enfants), du parent séparé qui n'avait pas la garde de ses enfants (le père séparé ou divorcé qui payait une pension alimentaire et qui bénéficiait d'une déduction au lieu d'être imposé) ou encore des personnes séparées ou divorcées qui n'étaient pas parents mais qui avaient néanmoins la garde d'enfants (par exemple les grands-parents qui n'étaient pas tenus d'inclure dans le calcul de leurs revenus les sommes reçues de l'un ou l'autre parent pour la subsistance des enfants), on s'apercevait aisément que leur traitement fiscal était différent du groupe ciblé par Susan Thibaudeau et qu'il subsistait pour celui-ci un désavantage fiscal réel et important. Certes, le parent non séparé, le père qui n'a pas la garde de ses enfants, les grands-parents qui reçoivent une pension alimentaire pour leurs petits-enfants et plusieurs autres groupes de personnes n'ont toujours pas l'obligation d'inscrire dans leurs déclarations des revenus les sommes qu'ils reçoivent pour l'entretien exclusif des enfants, mais contrairement à la situation qui prévalait avant l'adoption de la nouvelle loi, les parents et gardiens d'enfants (séparés ou divorcés qui sont en grande majorité des femmes) n'ont plus pour leur part cette obligation qu'elles avaient de déclarer ces sommes.

Il fallait donc en conclure, selon la Cour d'appel fédérale, qu'il y avait inégalité entre le traitement accordé à notre cliente et celui accordé à d'autres groupes que le sien, que cette inégalité créait un préjudice certain et enfin qu'elle était discriminatoire puisqu'elle était fondée sur le statut civil et la situation familiale des personnes visées et qu'elle s'apparentait à un motif analogue aux motifs de discrimination énumérés au paragraphe 15 (1) de la *Charte canadienne des droits et libertés.*

Sur ce dernier point, l'analyse de la Cour d'appel fédérale était du plus grand intérêt : en effet, elle triturait dans tous les sens l'esprit sous-jacent à la rédaction du paragraphe 15 (1) de la Charte et concluait finalement que les motifs de discrimination qui y étaient énumérés n'étaient pas exhaustifs, qu'ils servaient plutôt de tremplin à une vision plus globale et plus généreuse des préceptes de justice et d'équité enchâssés dans notre Constitution, qu'ils devaient embrasser avec élan toutes les causes valables et protéger ultimement toutes les personnes désavantagées et opprimées. En d'autres termes, la Cour jugea que ce paragraphe 15 (1) devait remplir sa fonction première qui était de protéger ce que l'on appelle une minorité discrète et isolée, persécutée par les époques, les stéréotypes et les jugements de valeur.

C'est ainsi que la Cour d'appel fédérale baptisa « situation de famille » le motif de discrimination touchant Susan Thibaudeau et tous les parents placés dans la même situation qu'elle. Selon la Cour d'appel, les expressions traditionnelles comme « l'homme heureux en ménage », « la vieille fille », « le joyeux célibataire », « la veuve joyeuse » ou « le bon père de famille » démontraient sans contredit cette stigmatisation, cet avilissement d'une situation particulière. Ces expressions sont d'ailleurs encore couramment utilisées aujourd'hui dans notre langage populaire alors qu'elles devraient être considérées comme des antiquités linguistiques. Ce qui prouve que les pires préjugés sont parfois les plus tenaces. C'était la preuve aussi que le motif de la situation familiale était un motif analogue à ceux du paragraphe 15 (1) de la *Charte canadienne des droits et libertés.* Continuant sur cette lancée, et conscient que les parents gardiens d'enfants étaient très majoritairement des femmes, j'aurais pu remonter le cours de l'histoire pour multiplier les exemples de discrimination envers les femmes. Que l'on ne me parle pas des civilisations plus qu'anciennes où les femmes, par leur capacité à procréer, étaient considérées comme des répliques de divinités. J'ai rarement connu des situations semblables dans notre monde actuel !

Par ailleurs, le droit de la famille ne représentait visiblement pas, pour la Cour d'appel fédérale, une solution adéquate au problème posé. En effet, il eût été peu réaliste, voire naïf, de compter aveuglément sur notre système judiciaire afin que les ordonnances alimentaires puissent, toujours et parfaitement, tenir compte de l'incidence fiscale de manière à ne pas causer de préjudice à la partie bénéficiaire de la pension alimentaire. Comment, en effet, concilier le caractère approximatif et byzantin de l'attribution d'une pension alimentaire avec l'imposition fiscale déterminée à un sou près et qui ne laissait aucune place à l'arbitraire ? D'un côté, l'intérêt de l'enfant ; de l'autre, celui du gouvernement. Selon la Cour d'appel fédérale, la preuve démontrait que le droit de la famille était, dans les faits, incapable de corriger le préjudice créé par les dispositions de l'article 56 (1)b) de la *Loi de l'impôt sur le revenu.* D'ailleurs, était-il logique d'offrir comme panacée un système de calcul des pensions alimentaires alors que la *Loi de l'impôt sur le revenu* comportait déjà plusieurs injustices et que ce système restait discriminatoire quelle que fût la façon de le camoufler ? La harangue des gouvernements ne pouvait rien changer à cette réalité.

De plus, cette disposition de la loi fiscale ne pouvait être justifiée dans le cadre de l'article 1 de la *Charte canadienne des droits et libertés* (laquelle permet de restreindre des libertés fondamentales prévues à nos chartes lorsque cette annulation ou cette restriction est justifiée dans le cadre d'une société libre et démocratique) puisque l'article

56 (1)b) ne respectait pas les critères de l'atteinte minimale et de la proportionnalité toujours omniprésents au cœur de cette analyse. En d'autres termes, pour valider cet article 56 (1)b), il aurait fallu que cette restriction soit minimale et touche le moins possible aux droits des personnes, ce qui de toute évidence n'était pas le cas, car cette disposition créait de l'inégalité entre certains groupes de contribuables. De plus, les objectifs visés par cette disposition fiscale n'étaient pas atteints puisque le régime d'inclusion-déduction ne fonctionnait pas pour un très grand nombre de personnes. Selon la Cour d'appel fédérale, un résultat de 67 % de gagnants, de 29 % de perdants et de 4 % de neutres n'était pas suffisant pour passer l'examen. Pis encore, rien n'assurait que les 67 % de couples gagnants réussissaient à transmettre cet « avantage » aux enfants qui devaient en être les premiers bénéficiaires. Un échec total, vous dis-je. Il fallait donc penser à autre chose malgré les prétentions et le prosélytisme de bonne guerre affichés par la partie adverse.

En résumé, selon la Cour d'appel fédérale, « Loin d'être une réponse mesurée et proportionnée à un problème ressenti, le système inclusion-déduction, fréquemment n'arrive pas à accorder un bénéfice à ceux qu'il est sensé [sic] aider, il avantage presque toujours ceux qui n'ont pas besoin d'aide, et il ne contient aucun mécanisme de correction ou de contrôle conçu pour remédier à la situation. Le système ne satisfait pas aux critères de l'atteinte minimale et de proportionnalité, et il n'est pas justifié au regard de l'article premier[1] ». Sur cette lancée, l'article 56(1)b) de la *Loi de l'impôt sur le revenu* était déclaré inconstitutionnel

1. Page 28 du jugement de la Cour d'appel fédérale.

par la Cour d'appel fédérale, ce qui le rendait, en d'autres termes, invalide.

Nous étions heureux : ce jugement de la Cour d'appel fédérale représentait un premier pas vers la justice et l'équité. Il s'agissait aussi d'une admonestation sérieuse de la part du pouvoir judiciaire à l'endroit du pouvoir législatif, car il faut bien comprendre que la Cour d'appel fédérale a une certaine autorité. En raison de sa position dans l'échelle judiciaire, ses jugements sont significatifs, sans compter que sa décision dans l'affaire Susan Thibaudeau suscitait un intérêt médiatique croissant. Nous étions, cette fois, véritablement lancés.

Cependant, il y avait un hic : la Cour d'appel fédérale l'avait compris bien avant nous quand elle déclarait : « Enfin du point de vue pratique, les chances que cette Cour ait le dernier mot sur la question sont moindres que celles de gagner le gros lot à la loterie. » Elle n'aurait jamais cru si bien dire puisque la Cour suprême du Canada veillait au grain et qu'elle allait être la dernière à statuer sur le cas de notre cliente et du groupe qu'elle représentait.

CHAPITRE 17

La conférence de presse

À l'heure du dîner, après que nous eûmes mis la touche finale au résumé juridique qui devait être incorporé à la pochette de presse remise aux journalistes, nous préparâmes tout le déroulement de la conférence. À 14 heures, la grande salle du bureau d'avocats Bernier, Beaudry et associés ressemblait à une ruche d'abeilles. À l'extérieur de cette salle, des dizaines de personnes s'affairaient à organiser la réunion. À l'intérieur de cette ruche, les journalistes bourdonnaient et allaient en tous sens, plaçant leurs micros plus haut, plus bas et surtout plus près des lieux stratégiques que ceux de leurs voisins, criant à leurs cadreurs de privilégier tel angle plutôt que tel autre, demandant à leurs collègues de s'enlever de leur champ de vision. Spectacle dantesque pour moi qui commençais à peine à me familiariser avec ces spécialistes de l'information.

À 15 heures précises, les caméras commencèrent à tourner. Les cadreurs filmaient, les perchistes « perchaient » et surtout, les journalistes interrogeaient. C'était un feu roulant de questions. Quelques instants auparavant, nous avions résumé les grandes lignes du jugement de la Cour d'appel fédérale en insistant sur les critères de discrimination qui avaient été retenus :

— Madame Thibaudeau, êtes-vous satisfaite du jugement rendu ?

— Quelles sont vos impressions suite à la décision de la Cour d'appel fédérale ?

— Qu'avez-vous à dire, Maître Bourgault, sur les motifs de discrimination retenus par le tribunal d'appel ?

— Croyez-vous, Maître Bernier, que le gouvernement ira en appel devant la Cour suprême ?

— Mister O'Gallagher, what is the most important point in this judgment ?

— Un dernier commentaire, Madame Thibaudeau !

L'événement ! Présenté avec compétence par des professionnels de l'information. Des as de la plume et du micro. Témoin objectif de cette cohue, je me demandais comment ils pouvaient toujours être à la fine pointe de l'actualité, comment il était possible pour eux de toujours courir après la nouvelle, sans répit, sans même avoir le temps de reprendre leur souffle. Ce jour-là, c'était le dossier Thibaudeau, le lendemain ce serait autre chose. Hier était déjà bien loin. Chez tous ces journalistes, grands, petits, jeunes et vieux, il y avait cette soif d'apprendre, de communiquer l'information, de la présenter le plus honnêtement possible, dans ses plus beaux atours ou sous son plus mauvais jour. Certains de ces journalistes nous ont épaulés tout au long de cette saga et je tiens à les en remercier.

Sitôt la conférence de presse terminée, nous quittâmes pour donner des entrevues télévisées. Il en fut ainsi jusqu'à 23 heures, heure à laquelle la diffusion des derniers bulletins de nouvelles se terminait : nous pûmes enfin souffler un peu.

CHAPITRE 18

Les vœux pieux

Le lendemain, soit le 5 mai 1994, commença pour moi par une entrevue télévisée. Pendant les journées qui suivirent, Maître Bernier et moi-même dûmes nous prêter à de nombreuses entrevues radiophoniques, télévisées et autres. C'était épuisant. Ce qui me faisait grand plaisir par contre, c'était les appels que nous recevions de la part de confrères et consœurs qui voulaient nous féliciter.

Dans les journaux, on affichait les gros titres : « La Cour d'appel donne raison à Susan Thibaudeau : Pension non imposable » ; « Message d'espoir pour les femmes » ; « Pension alimentaire : aucun impôt à payer » ; « L'arrêt Thibaudeau : tout un casse-tête pour le fisc » ; « Un impôt discriminatoire » ; « À l'abri de l'impôt ».

Ce qui m'agaçait souverainement cependant, c'étaient tous ces vœux pieux exprimés par les gouvernements fédéral et provincial, ces mea-culpa que certains ténors de la politique jetaient à la populace comme des miettes. Même si mon propos n'a pas pour but de jeter le discrédit sur la sincérité de certains élus, je tiens à dire qu'il était stupéfiant, voire grotesque, de les entendre s'époumoner à dire que ce jugement était une bonne chose, que la loi devait d'ailleurs être révisée et que la priorité des gouvernements était de s'occuper de ces femmes si longtemps victimes de discrimination. Curieux langage de la part de gouvernements qui nous avaient poussés dans nos derniers retranchements, qui nous avaient livré un combat judiciaire sans merci ! J'avais l'impression qu'ils nous prenaient pour des demeurés, des outres faciles à remplir et je n'étais pas convaincu de ne pas vouloir en faire état.

Quand il m'arrivait, à cette époque, d'ouvrir le téléviseur, je tombais invariablement sur un de ces mandataires du gouvernement qui décriait dans une belle envolée oratoire ce préjudice causé aux femmes par l'imposition fiscale et qui proposait les remèdes qu'il fallait y apporter. Tartuffes contemporains qu'aurait reconnus Molière, ils prenaient toute la place en assénant aux réfractaires et aux irréductibles la bonne nouvelle qui consistait à donner aux femmes « la place qui leur revenait dans notre société ». Vœux pieux ou mensonges ? Mon cœur balance, surtout que je n'avais jamais entendu ces belles paroles avant la victoire acquise en Cour d'appel fédérale. Je me souvenais plutôt que c'étaient ces mêmes personnes qui dénonçaient avec force gestes la position de Susan Thibaudeau et qui vantaient les mérites de la *Loi de l'impôt sur le revenu.* Pour un changement de situation, c'en était tout un. Il fallait mettre ce miracle au compte des consciences élastiques, des intérêts politiques, de la vertu caméléon.

Mais il faut se garder de généraliser. D'aucuns vous diront que tous les avocats sont menteurs (« but I'm not a liar, I'm only a lawyer »), un tel assurera que les fonctionnaires sont tous des ronds-de-cuir. Certains croiront même entendre Machiavel, avec sa voix d'outre-tombe, charger tous les politiciens qui l'ont inspiré pour la rédaction de son *Prince* ; à moins que ce ne soit le contraire... En général, plusieurs tentent de faire de leur mieux, au meilleur de leurs connaissances, et ils y parviennent souvent avec brio. Mais sur le lot, nous ne devons pas nous surprendre d'en trouver quelques-uns qui font bande à part et qui, par leurs incohérences, réussissent à marquer au fer rouge toute une population. Au banc des accusés, j'appelle tous les menteurs, les hypocrites, les pharisiens, bref tous ces gens qui font leur marque au détriment d'autrui.

Comme nous l'avions prévu, le ministre du Revenu du Canada, faisant fi de tous les vœux pieux exprimés jusque-là, annonçait, le mercredi 18 mai 1994, qu'il allait en appel du jugement rendu par la Cour d'appel fédérale. Qu'était-il advenu de cet intérêt primordial pour la gent féminine ? Où étaient donc passés tous ces mandarins du pouvoir qui avaient bercé de tant d'illusions une bonne partie de la population ? S'apercevaient-ils que leurs actions étaient aux antipodes de leurs paroles ? C'était quand même un coup fumant que d'essayer d'endormir les gens avec de belles paroles, pour ensuite aller en appel devant la Cour suprême du Canada. Dans les journaux, à la radio, à la télévision, on avait assisté à ce concert d'éloges envers les démunis, envers ces femmes courageuses qui élevaient seules leurs enfants et que la loi punissait. Contrit, le gouvernement, sans reconnaître ses torts évidemment, avait dit « comprendre » l'iniquité de tout ce système qui était si parfait hier, et il prétendait vouloir remédier à la situation. Changer la loi, c'était ce qu'il nous fallait ! La refonte du système fiscal était le nouveau dada ! Cependant, en même temps qu'elles y allaient de ces belles paroles, les autorités mandataient leurs procureurs de porter le jugement Susan Thibaudeau en appel et de le faire renverser !

CHAPITRE 19

Devant la Cour suprême du Canada

Le 14 juin 1994, nous nous retrouvions à Ottawa, devant le plus haut tribunal du pays, afin de débattre principalement d'une requête préliminaire présentée par le gouvernement fédéral. En effet, celui-ci, confronté aux milliers de procédures en opposition qui lui avaient été signifiées par les contribuables depuis le jugement Thibaudeau, avait décidé de « mettre de l'ordre dans la cabane » en demandant à la Cour suprême du Canada de suspendre jusqu'au jugement final la déclaration d'inconstitutionnalité prononcée par la Cour d'appel fédérale. De notre côté, nous contestions cette requête puisqu'une telle suspension aurait pour effet de pénaliser encore les femmes dont les droits avaient été reconnus par la Cour d'appel fédérale.

Pour ma part, c'était la première fois que je mettais les pieds dans cet édifice où tant de décisions importantes ont été rendues. Bâtiment aux allures austères, tout drapé de gris, ce lieu vénérable inspire le respect par ses dimensions, ses colonnes, ses marches, ses rotondes, ses toiles et ses portraits, et surtout par le protocole qui y règne. N'entre pas qui veut à la Cour suprême du Canada. Pour l'avocat, c'est le lieu du haut savoir, l'endroit où se prennent les décisions ultimes, irrévocables. Lorsqu'on arrive devant cet édifice dont l'architecture se situe entre le moderne et le mérovingien, on ne peut s'empêcher d'avoir un coup de cœur, un élan de passion indicible.

En montant les marches, on se dit qu'on va vivre là, à coup sûr, une expérience extraordinaire dont on se souviendra jusqu'à la fin de ses jours. Puis il y a la sécurité, les gardiens fort polis mais fort sérieux qui inspectent vos valises et vos vêtements. Ensuite il y a le hall d'entrée, splendide, étincelant, rempli de lumière, qui en met plein la vue et laisse pantois. Au fond de ce hall se trouvent deux immenses escaliers comme de grands bras qui nous accueillent.

Nichée au creux de ces bras, il y a tout au fond une salle qui me fascine et où j'irai puiser, avant chaque audition, l'inspiration dont j'aurai besoin. C'est la salle des portraits, portraits d'hommes et de femmes illustres, hauts magistrats qui ont siégé à la Cour suprême du Canada et qui ont marqué l'histoire judiciaire de ce pays.

Par l'escalier de droite, on monte au vestiaire des avocats qui jouxte d'autres dépendances et qui est tout près de la salle d'audience. C'est dans ce vestiaire que nous aurons nos derniers conciliabules avant de faire nos représentations devant la Cour suprême. En plus de Maître Bernier et moi, il y avait nos associés Maîtres Pierre Rioux et Brian O'Gallagher qui devaient travailler également à rédiger notre mémoire d'appel devant cette dernière instance. Ce soutien était des plus appréciable puisque ce sont deux excellents juristes.

À l'heure prévue, nous nous sommes assis, Maître Bernier et moi, à la place de l'intimée, c'est-à-dire du côté droit de la salle. Ici, contrairement à la Cour canadienne de l'impôt et à la Cour d'appel fédérale, nous étions beaucoup plus près du banc et j'aimais bien ce côté intime, qui ne déparait en rien le caractère protocolaire de cette audition.

L'œil rivé sur nos montres, nous écoutâmes les officiers de la Cour nous expliquer le déroulement de l'audition et les règles de procédure à respecter (qui sont d'ailleurs presque toutes codifiées dans notre droit et qui ont force de loi). Ils nous expliquèrent aussi que toutes les auditions qui ont lieu à la Cour suprême sont filmées et diffusées au petit écran. Enfin, ils nous rappelèrent tous les bons usages en vigueur dans les circonstances.

Une porte s'ouvrit ensuite pour laisser entrer les neuf juges de la plus haute Cour du Canada. Sans hâte, le port altier, le juge en chef Antonio Lamer s'installa à sa place au milieu du banc, entouré des Honorables juges La Forest, L'Heureux-Dubé, Sopinka, Gonthier, Cory, McLachlin, Iacobucci et Major. J'avais devant moi quelques-unes des personnes les plus importantes du Canada ; neuf juges triés sur le volet par notre gouvernement, pour appliquer au meilleur de leurs connaissances et de leur conscience les lois adoptées par nos législateurs.

Après que nous nous fûmes tous identifiés à titre de procureurs au dossier, la Cour entendit les représentations des parties qui concernaient notamment, comme nous l'avons dit, la suspension des effets du dernier jugement. Le gouvernement plaida le premier puisqu'il avait perdu en Cour d'appel fédérale et qu'il en appelait de ce jugement. Il insista évidemment sur les dommages irréparables qui seraient causés à l'État s'il n'obtenait pas la suspension demandée et que les contribuables continuaient de se servir du jugement de la Cour d'appel fédérale pour contester les demandes de cotisation que le ministère du Revenu émettait. Après une vingtaine de minutes, ce fut notre tour d'argumenter sur ce point en insistant, il va sans dire, sur le droit strict que les femmes avaient, surtout depuis le dernier jugement, de faire valoir leur point de vue sur ce dossier. En d'autres termes, suspendre l'inconstitutionnalité prononcée par la Cour d'appel fédérale, même temporairement, équivaudrait à nier une fois de plus le droit des femmes. C'était une situation intenable. Il fallait respecter, du moins pour l'instant, les conclusions du jugement et permettre ainsi à tous les contribuables concernés de s'appuyer sur cette décision pour contester les demandes de cotisations d'impôt qu'ils recevaient.

Grâce aux questions fort sagaces du tribunal et au temps strict accordé aux plaidoiries respectives (horaire qui interdit toutes représentations inopportunes), les neuf juges purent bientôt se retirer afin de délibérer. Pendant ce temps, j'en profitai pour sortir de la salle et jeter un coup d'œil inquisiteur sur l'effervescence qui régnait dans le grand hall. Là aussi, les journalistes pullulaient, s'animant à qui mieux mieux à travers une panoplie de fils, de micros, de caméras, d'antennes et autres bidules indispensables à ces spécialistes de la nouvelle.

Puis je retournai prendre ma place en saluant au passage mes confrères et consœurs du gouvernement. Bientôt, on annonça le retour du tribunal qui, après avoir délibéré, était maintenant prêt à rendre sa décision concernant la requête intérimaire de l'appelante qui demandait, on s'en souvient, la suspension de l'inconstitutionnalité de l'article 56 (1)b) qui avait été prononcée par la Cour d'appel fédérale.

Parlant au nom de la Cour suprême, l'Honorable juge Antonio Lamer annonça que les demandes du ministre du Revenu du Canada étaient accueillies et que les effets du jugement rendu par la Cour d'appel fédérale étaient suspendus temporairement. Cette décision n'annulait pas, même temporairement, le jugement rendu par la Cour d'appel fédérale : il en suspendait momentanément les effets en raison d'un contexte bien particulier (la paralysie du système de perception fiscale consécutive aux avis d'opposition produits en grand nombre par les contribuables canadiens), ce qui était bien différent. Ce ne fut pas une déception puisque nous nous y attendions. Par ailleurs, c'en était une pour toutes les femmes placées dans la même situation que Susan Thibaudeau et qui allaient devoir patienter encore une fois.

Cette décision rendue, le juge Lamer nous demanda, à titre de procureurs de l'intimée Thibaudeau, si nous entendions contester la requête pour autorisation d'en appeler du jugement rendu par le tribunal d'appel et, si c'était le cas, dans quel délai nous prévoyions le faire. Rappelons que la procédure instituée par le gouvernement devant la Cour suprême était le second appel formulé dans cette cause, le premier étant l'initiative de notre cliente qui avait vu incidemment sa demande acceptée par la Cour d'appel fédérale. On se concerta, s'entendit sur les dates, et tous purent être fixés sur les échéances à respecter lorsque la Cour suprême décida des délais de production des mémoires respectifs et de certaines autres modalités. C'était terminé ; déjà les juges quittaient la salle d'audience en nous saluant avec cordialité.

CHAPITRE 20

Un travail de moine

Le 23 juin 1994, soit exactement neuf jours après l'ordonnance de la Cour suprême du Canada suspendant la déclaration d'inconstitutionnalité, ce même tribunal accordait la demande d'autorisation d'appel déposée par le ministre du Revenu du Canada. Il ne faut pas oublier en effet que la première audition tenue devant la Cour suprême, même si elle concernait prioritairement la demande de suspension de l'inconstitutionnalité prononcée par la Cour d'appel fédérale, visait également à faire autoriser l'appel déposé par le gouvernement à l'encontre du jugement précédent. Cette ordonnance n'était pas une surprise pour nous puisque nous y avions consenti en produisant au greffe de la Cour une lettre confirmant nos intentions à ce sujet. Nous ne pouvions valablement nous opposer au fait que tout ce litige en était un d'intérêt national et que l'appelante avait le droit de faire trancher cette question par le plus haut tribunal du pays.

La suite des événements était prévisible. Le 29 juin suivant, le gouvernement fédéral déposait un avis de pourvoi (déclaration d'appel formel) devant la Cour suprême du Canada. Le gouvernement n'en était plus au stade de l'autorisation, il en appelait effectivement ! Le 11 juillet, une autre ordonnance était rendue par l'Honorable juge en chef du Canada qui donnait aux parties certaines autres directives et les autorisait à déposer la preuve additionnelle. Le même jour était également rédigé par la Cour suprême du Canada le libellé des questions constitutionnelles qui allaient être tranchées par le tribunal. En résumé, la Cour aurait à décider si l'article 56 (1)b) de la *Loi de l'impôt sur le revenu* portait atteinte aux droits à l'égalité garantis par le paragraphe 15 (1) de la *Charte canadienne des droits et libertés*, et si cette atteinte éventuelle pouvait être justifiée dans le cadre d'une société libre et démocratique telle que la nôtre.

Aux termes de la première ordonnance rendue le 11 juillet 1994 par la Cour, il était prévu que le dossier entier serait déposé au greffe le 29 juillet 1994, que la date limite pour faire parvenir les états d'intention d'intervenir des procureurs généraux et autres demandes d'intervention serait le 15 août 1994, que le mémoire présenté par le ministre du Revenu du Canada serait déposé avant cette date alors que celui de Susan Thibaudeau devait l'être avant le 15 septembre 1994 ; enfin que les mémoires des intervenants, dont SCOPE, devraient être déposés le ou avant le 25 septembre 1994. Afin d'éclairer les lecteurs, il est à noter que les représentations des avocats et des parties devant la Cour suprême du Canada se font surtout par le moyen de mémoires qui sont déposés préalablement à l'audition. L'argumentation ou la plaidoirie orale doit être le reflet fidèle de ces mémoires.

C'est ainsi que nous reçûmes, daté du 15 août 1994, le mémoire de Sa Majesté la Reine qui reprenait, en 50 pages, l'essentiel de son argumentation et qui incluait également 44 arrêts de jurisprudence, une douzaine de textes de doctrine et une multitude d'articles de loi et de règlements. De nouveau, il y était plaidé substantiellement que Susan Thibaudeau n'avait subi ni préjudice ni discrimination, dans la mesure où la pension alimentaire accordée et le coût de l'entretien des enfants avaient parfaitement comptabilisé l'impact fiscal pour la prestataire. En fait, selon le gouvernement fédéral, la majorité de la Cour d'appel fédérale avait erré en droit en concluant que l'alinéa 56 (1)b) de la *Loi de l'impôt sur le revenu* portait atteinte au droit à l'égalité garanti par le paragraphe 15 (1) de la *Charte canadienne des droits et libertés* et en restreignant son analyse au seul texte de cet article 56 (1)b) sans égard au contexte factuel, fiscal et juridique dans lequel cette disposition s'inscrivait.

Selon le gouvernement, le Parlement avait voulu répondre favorablement à la nouvelle réalité qui caractérisait la famille séparée en adoptant un régime fiscal destiné à mieux correspondre à leur situation. En lisant ces lignes avec un peu d'imagination, on aurait même pu suggérer à ces familles de se mettre à genoux et de remercier bien bas leur bienfaiteur. Mais la majorité d'entre elles étaient déjà sur les genoux et pour des motifs qui n'avaient rien à voir avec la gratitude ! Le gouvernement allait même plus loin en prétendant que son régime fiscal reconnaissait la capacité réduite des parents séparés de payer des impôts et libérait en leur faveur des ressources financières additionnelles que le régime habituel ne leur permettait pas de se procurer durant leur vie commune. Et quoi encore ! Est-il nécessaire de préciser que ces ressources financières additionnelles, s'il est vrai qu'elles étaient accordées dans le cadre du régime fiscal du gouvernement, l'étaient seulement pour le couple séparé et non pour la mère gardienne des enfants !

Certes, la déduction permise aux payeurs de pensions alimentaires les rendait plus riches, ce qui devait théoriquement dégager plus d'argent pour l'entretien des enfants du couple. Cependant, cette théorie était trompeuse puisque cet argent n'était pas redistribué à la mère et aux enfants. Le système fiscal avantageait donc, en réalité, les pères payeurs de pensions alimentaires. Pourquoi donc, se demandaient toutes ces femmes séparées, vivons-nous plus chichement et plus pauvrement une fois séparées qu'en couple ? Comment devaient-elles concilier ces mots prophétiques du gouvernement avec leurs goussets vides qui leur montraient bien que ces promesses étaient fausses et que les espérances des politiciens étaient vaines ? Que valaient ces vœux pieux formulés par des gens bien à l'abri dans leur tour d'ivoire face à ces familles disloquées qui, pour la plupart, tiraient le diable par la queue et avaient bien du mal à répondre aux besoins les plus élémentaires ?

Si le régime d'inclusion-déduction donnait, selon le gouvernement, un avantage considérable aux parents séparés en leur procurant une économie d'impôt estimée à 330 millions de dollars par année, où allait donc tout cet argent ?

L'inclusion, dans le calcul du revenu, d'un montant reçu pour l'entretien d'une personne et de ses enfants, fut ordonnée pour la première fois en 1942 dans le cadre d'un amendement à la *Loi de l'impôt de guerre sur le revenu*. En 1944, cette même loi était encore modifiée pour permettre la déduction complète de la pension alimentaire dans le calcul du revenu du payeur. D'autres dispositions visant la famille et les enfants ont été ajoutées à la *Loi de l'impôt sur le revenu* au fil des années, sans jamais réussir à faire disparaître cette inégalité entre les parents : imposer ceux qui acceptent la garde de leurs enfants et permettre une déduction à ceux qui n'en ont pas la charge !

Il serait peut-être utile d'éclairer la discussion sur cette loi rétrograde par les débats qui ont eu lieu à la Chambre des communes en 1942 peu avant son adoption et l'introduction du régime fiscal concernant les pensions alimentaires. Même si les intentions étaient louables pour l'époque, on ne doit absolument pas les louer aujourd'hui[1]:

L'HON. M. HANSON :

> L'homme qui s'est marié de nouveau se trouve dans des circonstances difficiles. Je suis d'avis qu'il mérite une certaine considération, qu'il devrait obtenir une réduction.

M. BENCE :

> J'allais dire un mot à ce sujet. Il me semble très injuste qu'un divorcé qui supporte sa première femme par ordre du tribunal ne puisse, aux fins de l'impôt sur le revenu, déduire la pension alimentaire qu'il lui verse. S'il le pouvait, on pourrait obliger la première femme à préparer sa déclaration d'impôt comme si elle était célibataire – elle l'est en réalité – et à inscrire sa pension au chapitre du revenu dans sa déclaration. Souvent le divorcé s'est remarié, et il lui faut acquitter un lourd impôt sur la pension alimentaire de 60 $, 70 $ ou 80 $ par mois qu'il verse à son ancienne épouse. Ce n'est pas la cause du mari que je plaide, bien qu'il soit en très mauvaise posture. Dans les cas portés à ma connaissance le mari n'a pu effectuer les versements et c'est la première femme qui en souffre. Je dis donc qu'elle mérite autant de considération que le mari.

---

1. Débats de la Chambre des communes, volume V, 3e session, 19e législature, 17 juillet 1942, aux pages 4505 et 4506.

L'HON. M. ILSLEY :

> Je conviens que le mari subit de graves injustices, et aussi la femme indirectement, devant la loi actuelle, et l'on a songé à quelques façons de modifier la loi. Je ne saurais cependant dire pour l'heure si quelque amendement sera proposé dans ce sens. La question est à l'étude.

M. GREEN :

> J'estime que nous sommes dans une situation impossible avec l'énorme majoration des impôts cette année. Après tout, nos lois admettent le divorce et, ayant obtenu le divorce, les parties intéressées peuvent se marier de nouveau. Dans certains cas qu'on a portés à ma connaissance, l'époux est remarié et sa deuxième épouse lui a donné des enfants ; cependant, il doit payer l'impôt sur le revenu pour la pension alimentaire qu'il verse à sa première épouse. C'est absolument injuste, il me semble.

L'HON. M. ILSLEY :

> J'admets que c'est injuste dans beaucoup de cas.

Ces mots étaient prononcés le 17 juillet 1942 dans le cadre des débats de la Chambre des communes concernant la question des pensions alimentaires. Malgré tout mon bon vouloir, je me demande si le mari était « en très mauvaise posture » du fait de son second mariage et si on doit encore remercier ces honorables parlementaires qui ont pris la peine et le temps de dire que la femme méritait autant de considération que le mari...

Malgré les dires du gouvernement, les mérites de la *Loi de l'impôt sur le revenu* et d'un article qui prônait l'imposition des pensions alimentaires ne m'apparaissaient pas aussi clairs qu'ils devaient probablement l'être. Ces innombrables avantages accordés à la femme m'apparaissaient douteux dans la mesure où ces femmes étaient pour la plupart toujours pauvres et sans ressources. Malgré les crédits d'équivalent de personne mariée (article 118 (1)b)), les crédits pour personnes à charge (article 118 (1)) et les crédits d'impôt remboursables pour enfants (article 122 (2)), qui sont les plus importants, ainsi que les crédits d'impôt remboursables pour taxes de vente fédérales, les crédits d'impôt pour frais de scolarité, les crédits d'impôt pour frais médicaux d'un enfant à charge, les déductions pour frais de garde d'enfants, les allocations familiales, les crédits d'impôt pour taxes sur les produits et services et la nouvelle prestation fiscale pour enfants, j'avais du mal à voir les bienfaits d'une loi qui punissait la garde et récompensait la personne qui ne l'avait pas. Nos statistiques démontraient que les bonnes paroles du gouvernement étaient plutôt vaines et que les femmes parents et gardiennes d'enfants qui dans la vraie vie et non sur papier, prenaient soin des enfants tous les jours en leur procurant des couches, de la nourriture, des médicaments et un tas d'autres choses, connaissaient des difficultés importantes. Une de ces difficultés provenait évidemment de ce fameux système fiscal dont on vantait pourtant les mérites.

Il ne faudrait pas oublier que les couples non séparés subissent aussi des préjudices graves à cause de leur lien matrimonial qui ne leur permet pas d'avoir droit à certaines déductions et exemptions. C'est peut-être le prochain débat ?

Après cette litanie de bienfaits, le mémoire du gouvernement traitait de la comptabilisation « parfaite » par les tribunaux de l'incidence fiscale qui devait être évaluée au moment de fixer le montant d'une pension alimentaire. Selon la partie adverse, il n'y avait rien à redire sur ce plan. Pourtant, nous savions que les avocats et les juges qui travaillaient dans le domaine du droit de la famille calculaient cette incidence fiscale depuis quelques années seulement et que, de plus, ils ne le faisaient pas parfaitement en raison d'une multitude de facteurs. Certes, ces avocats et ces tribunaux étaient plus conscients aujourd'hui de l'obligation de tenir compte des incidences fiscales dans la détermination des pensions alimentaires, mais cela ne les empêchait pas de se buter à un tas de difficultés dans l'évaluation de cette incidence fiscale dont la moindre n'était pas le caractère forcément approximatif de ces calculs.

En effet, le juge en cette matière décide souvent d'un montant de pension alimentaire à partir d'éléments objectifs, bien sûr, mais il est souvent subjectif lorsqu'il examine la capacité financière des parties, leur niveau d'endettement, leur capacité et leur désir de se trouver du travail, leurs qualités intrinsèques, et cetera. Chaque cas est un cas d'espèce et lorsqu'on détermine le montant d'une pension alimentaire, il est difficile de prédire avec exactitude ce qui sera suffisant. Chacun y va au meilleur de ses connaissances et ce propos ne vise pas seulement les juges mais également les avocats et les parties impliquées. Et puis, comme on vient de le noter, ces efforts ne peuvent faire oublier que le calcul de l'incidence fiscale n'était pas une préoccupation si on recule de quelques années. Comment en arriver à un calcul exact dans ce contexte ?

D'ailleurs, même si cela était et qu'on avait pu en arriver à une détermination exacte de l'incidence fiscale, qui devait encore une fois assumer les coûts inhérents à ce calcul si ce n'était la femme parent et gardienne d'enfants, qui avait déjà des obligations importantes? Comment faisait-elle en effet pour payer les avocats, les comptables, les programmes informatisés et tout le reste alors qu'elle cherchait à vivre décemment dans un logement moyen avec ses enfants?

La pirouette du gouvernement, qui consistait à dire que les femmes à bas revenus pouvaient bénéficier des services des avocats de l'aide juridique, n'effaçait pas nos inquiétudes et ne pouvait surtout réfuter à elle seule les statistiques montrant qu'un très grand nombre de femmes vivaient quand même sous le seuil de pauvreté.

Ce qu'il était surprenant de constater à la lecture de ce mémoire présenté par le gouvernement, c'était cette dualité qui consistait à brandir haut et fort cette comptabilisation parfaite de l'incidence fiscale lors de l'attribution des pensions alimentaires, tout en se ménageant une porte de sortie en disant qu'il fallait développer un nouveau mode de fixation des pensions alimentaires pour enfants si le système actuel ne fonctionnait pas bien. Curieux raisonnement que celui-là!

On ne peut dire que la lecture de ce mémoire d'appel nous enchanta. Cependant, nous y retrouvâmes sans surprise l'argumentation que la partie adverse avait développée ces dernières années. Il ne nous restait plus qu'à y répondre avec force arguments et une multitude d'exemples. Une fois de plus, ce ne serait pas une tâche facile, mais nous allions y puiser beaucoup de satisfaction.

CHAPITRE 21

La touche finale

Notre tour était venu de rédiger notre mémoire en réponse aux arguments du gouvernement fédéral. Comme devant toutes les cours de justice, nous procédions l'un après l'autre : le gouvernement d'abord, puisqu'il était l'appelant à la Cour suprême du Canada ; nous ensuite, étant donné que nous étions les intimés dans cette cause. Ce mémoire, qui constituait pour nous un nouveau défi, entraîna un renouveau d'enthousiasme au sein de notre étude. Nous formions une bonne équipe. Pendant que Maître Bernier rédigeait le cadre de toute notre argumentation devant la Cour suprême, je fouillais davantage la question de la discrimination, tandis que Maître Pierre Rioux s'occupait de toute la question du droit matrimonial. Pendant ce temps, notre associé Brian O'Gallagher s'affairait à nous instruire des règles de pratique de la Cour suprême et à assurer la logistique de toute notre démarche devant ce tribunal. Nous avions déjà investi, à ce stade, quelques centaines de milliers de dollars dans cette affaire, mais le jeu en valait la chandelle.

Nous rédigeâmes donc, toujours dans l'optique suivant laquelle on ne pouvait assimiler la pension alimentaire versée pour les enfants à un revenu du conjoint parent et gardien. Nous reprîmes un à un les arguments que nous avions déployés avec tant d'ardeur devant la Cour canadienne de l'impôt et la Cour d'appel fédérale. Le fameux régime d'inclusion-déduction adopté il y avait plus de 50 ans dans le contexte des années 1940 ne fonctionnait plus adéquatement, s'il avait déjà fonctionné un jour... Les femmes qui demeurent à la maison pour s'occuper exclusivement de l'éducation des enfants sont une espèce en voie de disparition et ce seul fait ne justifie plus une loi désuète qui bat manifestement de l'aile. La réalité est tout autre : le nombre plus élevé que jamais de femmes sur le marché du travail et l'augmentation du nombre de familles monoparentales dictent de manière non équivoque la marche à suivre pour les années à venir.

Ces changements sociaux ont fait que les taux d'imposition du payeur et du bénéficiaire se sont rapprochés et que les avantages du régime d'inclusion-déduction, peut-être réels à l'origine, se sont transformés en désavantages certains.

Une conclusion s'imposait : le système fiscal tant vanté par le gouvernement entraînait, pour près du tiers des couples qui y étaient assujettis, des impôts supérieurs à ceux qui auraient été payés en l'absence d'un tel régime. C'était une aberration. Pendant ce temps, les couples mariés souffraient eux aussi des inégalités du système fiscal mis en place par le gouvernement puisqu'ils étaient évidemment imposés sur les revenus qu'ils gagnaient sans pouvoir cependant bénéficier de certaines exemptions permises aux gens séparés.

Par l'application de ces belles dispositions fiscales, de ce régime d'inclusion-déduction, on en arrivait à rejeter dans la cour des mères gardiennes d'enfants toutes les responsabilités économiques engendrées par ce système, sans compter les obligations morales et parentales qu'elles assumaient déjà. Par ailleurs, les exemptions fiscales allouées dans la loi au conjoint gardien d'enfants étaient accordées, qu'il y ait ou non une pension alimentaire versée et que cette pension alimentaire soit ou non imposable. Nos expertises démontraient que ces exemptions ou crédits ne suffisaient même pas à éponger le préjudice économique causé par l'imposition décrétée à l'alinéa 56 (1)b) de la *Loi de l'impôt sur le revenu.*

La conclusion nous apparaissait irréfutable : le régime d'inclusion-déduction pénalisait de manière importante la plupart des ex-conjoints gardiens d'enfants qui y étaient assujettis et il stigmatisait par conséquent cette volonté d'assumer la garde des enfants.

Les exemples étaient nombreux. Les appels que nous recevions ne provenaient pas seulement du Québec, mais aussi de partout au Canada, du Nouveau-Brunswick jusqu'à la Colombie-Britannique, en passant par l'Ontario et le Manitoba. Pendant ce temps, Susan Thibaudeau ne restait pas inactive et fourbissait ses armes; elle nous prodiguait toujours ses encouragements et ne manquait pas de nous téléphoner ou de venir nous rencontrer chaque fois qu'elle le pouvait. Elle était convaincue, plus que jamais, que nous allions gagner la partie. Elle n'a jamais douté. Même nos honoraires, qui étaient importants, n'ont jamais réussi à l'ébranler. Le Fonds d'aide aux recours collectifs épongeait une partie des frais et nous en assumions personnellement une part aussi, sans oublier les activités qui ont eu lieu pour les mêmes fins, comme le tournoi de golf annuel. Ces contraintes pécuniaires en auraient rebuté plus d'une depuis longtemps, mais notre cliente tenait bon.

La rédaction de notre mémoire progressait de belle façon de telle sorte que nous pouvions même prévoir le moment où tout serait prêt et où nous pourrions produire notre argumentation finale et nos autorités. Maître Bernier, pour sa part, avait développé avec beaucoup de justesse les motifs du jugement conditionnel de divorce, où il était écrit que la pension alimentaire accordée à madame Susan Thibaudeau, « vu les incidences fiscales, la force à contribuer, en plus de ses soins personnels constants, à l'entretien financier des enfants dans une proportion probablement plus élevée que le simple rapport des revenus des parties lui imposerait[1] ». C'est donc dire que le tribunal reconnaissait à ce moment-là que Susan Thibaudeau assumait, en plus de ses obligations parentales, une responsabilité économique plus grande que celle qui aurait dû lui incomber.

Notre associé Pierre Rioux, pour sa part, démontrait, bon nombre de jugements à l'appui, que les tribunaux et les parties ne réussissaient pas à tenir compte adéquatement des incidences fiscales lorsque venait le moment de déterminer le montant d'une pension alimentaire versée pour les enfants. Malgré les bonnes intentions de tous les intervenants, la théorie et la pratique divergeaient et, en réalité, il subsistait presque toujours un manque à gagner pour le parent gardien d'enfants lorsque l'impôt avait frappé ses contribuables et scruté leurs déclarations des revenus annuelles à la loupe.

Nous insistâmes encore également, dans la rédaction de notre mémoire, sur le préjudice économique net de 2 500 $ qui résultait directement de l'obligation qu'avait Susan Thibaudeau de payer l'impôt sur la pension alimentaire des enfants, préjudice qui avait été prouvé par les expertises déposées au dossier de la Cour.

---

1. Page 15 du jugement en divorce de la Cour supérieure.

Après avoir passé en revue les conclusions des jugements rendus par la Cour canadienne de l'impôt et la Cour d'appel fédérale, nous reprîmes aussi notre argument principal selon lequel tout le système proposé par la partie adverse n'était que chimère et qu'en réalité il occasionnait des préjudices énormes aux personnes placées dans la même situation que notre cliente. Une fois de plus, notre cheval de bataille fut cette discrimination fondée sur l'état civil, la situation familiale, la condition sociale et en dernier lieu le sexe, qui étaient toutes, selon nous, des caractéristiques personnelles. Dans cette argumentation finale, nous reprenions aussi tous les groupes de comparaison dont nous avions traité devant les autres instances et qui prouvaient les inégalités de traitement engendrées par le système fiscal.

La simple logique voulait également qu'il y eût une grande injustice dans le fait d'imposer la femme qui avait la garde des enfants et de permettre une déduction à l'homme qui ne l'avait pas. Alors que l'ex-conjointe contribuait à l'entretien de ses enfants avec ses revenus imposables, le père, chargé des mêmes obligations parentales, avait l'avantage de le faire avec des revenus exempts d'impôt, puisque c'est son ex-conjointe qui avait la charge de payer l'incidence fiscale. Un plus un égale trois pour les cancres de l'arithmétique ! Par ailleurs, n'était-ce pas en effet faire la preuve d'une déficience dans la *Loi de l'impôt sur le revenu* que de recourir à une autre loi pour en atténuer les effets, comme le suggérait le gouvernement fédéral ? Était-il raisonnable de corriger les iniquités d'un système fiscal au moyen d'une autre loi qui avait également ses défauts ? Si la détermination des pensions alimentaires était si parfaite au moment du divorce ou de la séparation des conjoints, pourquoi les tribunaux d'appel faisaient-ils tant état de l'omission des tribunaux de première instance de tenir compte des incidences fiscales ?

En résumé, la *Loi de l'impôt sur le revenu* ou l'une de ses dispositions, à tout le moins, était discriminatoire puisqu'elle établissait l'inégalité entre des personnes fondée sur une caractéristique personnelle et que cette inégalité engendrait de nombreux préjudices pour les personnes visées. Ces préjudices étaient, d'abord et avant tout, économiques puisque Susan Thibaudeau et ses semblables devaient payer à l'impôt une somme qui n'avait pas été prévue dans leur planification budgétaire. En second lieu, celles-ci devaient assumer tous les frais inhérents au calcul de l'incidence fiscale. Enfin, il y avait aussi cette obligation injuste qu'on imposait aux femmes et qui les forçait à devenir des gestionnaires de l'État, probablement les plus chichement rémunérées, mais des gestionnaires tout de même qui devaient mettre de côté les sommes nécessaires pour payer l'impôt à la fin de l'année et ne pas toucher à cette réserve quels que fussent les besoins des enfants. Il était donc incontestable que Susan Thibaudeau et ses pairs constituaient bel et bien un groupe défavorisé par l'histoire, les stéréotypes et les préjugés. Révoltée par cette injustice, notre plume allait bon train et notre mémoire tirait à sa fin, tout comme cette longue odyssée qui nous avait entraînés jusque-là dans sa vague.

CHAPITRE 22

Allons-y camarades !

Cette histoire allait bientôt connaître son dénouement puisque nous approchions de cette date fatidique du 4 octobre 1994, jour où la Cour suprême devait entendre nos arguments. Le jugement sera rendu plus tard. Même si nous n'en avions pas entendu parler depuis un certain temps, il faut préciser que SCOPE, Maîtres Mary Eberts et Steve Tenai en tête, avait déposé depuis peu son mémoire devant la Cour suprême, insistant lui aussi sur le fait que le gouvernement ignorait ce qui arrivait dans la réalité à la suite d'une séparation ou d'un divorce.

Un autre intervenant s'était joint à nous. Le groupe *The Coalition* s'était lui aussi mis de la partie et avait demandé l'autorisation d'intervenir dans le débat pour appuyer l'opposition de Susan Thibaudeau. Cet intervenant qui nous venait de la Colombie-Britannique était en fait un regroupement de plusieurs comités : *Charter Committee on Poverty Issues, Federated Anti-Poverty Groups of British Columbia, National Action Committee on the Status of Women*, et *Women's Legal Education and Action Fund.*

Maîtres Katherine Hardie et Gwen Brodsky représentaient cette coalition qui, on l'aura deviné, insistait beaucoup sur la discrimination fondée sur le sexe et la situation familiale. Tout semblait désormais en place pour que nous puissions aller faire nos représentations devant le tribunal qui déciderait ultimement de la conclusion de cette saga judiciaire. Nous étions prêts. Nous avions hâte de plaider cette cause et nous étions bien disposés à y consacrer le maximum d'énergie et de temps.

À l'approche de l'audition, nous sentions Susan Thibaudeau sereine et confiante, libérée d'un feu intérieur qui la dévorait depuis le début de cette affaire. Elle m'a même confié à un certain moment qu'elle avait tout mis dans ce combat et qu'elle priait désormais Dieu de lui donner la force nécessaire pour accepter le verdict qui tomberait sous peu. Elle semblait pourtant toujours plongée jusqu'au cou dans sa potion magique de confiance, mais il y avait quelque chose de différent cette fois qui la mettait à l'abri de toutes ses passions et qui la rendait plus forte, plus calme. J'avais senti ce changement s'opérer depuis déjà quelques semaines, comme si, épuisée, elle relayait le flambeau à d'autres battants, tel un capitaine qui laisse la barre à son premier-maître, sachant que le navire vogue allègrement sur les eaux calmes et qu'il entrera bientôt au port. Elle ne parlait plus de se battre, elle s'était battue de toutes ses forces et elle en avait pleinement conscience. Forte de cette conviction, elle pouvait, en toute quiétude, non pas baisser les bras, mais les soulager quelque peu de leur fardeau.

Le 3 octobre 1994, la veille de l'audition en Cour suprême, nous partîmes, Maîtres Michel Bernier, Pierre Rioux, Brian O'Gallagher et moi pour Ottawa où l'on nous avait fixé le dernier rendez-vous de toute cette affaire. Dans la grande camionnette, nous avions entassé pêle-mêle nos valises, nos documents, nos vêtements. Les discussions allaient bon train et nous plaidions à tour de rôle nos arguments de faits et de droit, c'est-à-dire les éléments factuels et les points juridiques. Se trouvait également avec nous

Maître André Lareau, éminent fiscaliste, qui nous servait à la fois d'avocat-conseil, de soutien psychologique et d'ami. Jamais il n'était rebuté par les arguments que nous lui présentions en rapport avec les dispositions de la loi fiscale, loi qu'il connaissait sur le bout des doigts et qu'il aurait pu fort probablement nous enseigner dans ses moindres détails.

Nous arrivâmes à Ottawa vers l'heure du souper et rejoignîmes aussitôt Susan Thibaudeau et son groupe qui nous avaient demandé d'assister à une entrevue réalisée par une station de télévision anglophone. Nos retrouvailles furent joyeuses. On s'étreignit chaleureusement et on se souhaita mutuellement bonne chance pour le lendemain.

Pendant le souper, Susan Thibaudeau nous parla de sa fille qui devait être opérée le lendemain. Cette opération la préoccupait énormément et elle regrettait de ne pouvoir être près d'elle. Malgré sa présence à nos côtés, la cause passait maintenant au second plan de ses préoccupations.

CHAPITRE 23

L'audition devant la Cour suprême du Canada

Le grand jour était arrivé. Bien assis dans le taxi qui nous conduisait à la Cour suprême du Canada, nous vîmes avec étonnement un hurluberlu forcer la portière avant du côté du passager et s'affaler, avec tout son équipement, aux côtés du conducteur. Ça demeure toujours un mystère pour moi : comment peut-on courir aussi vite et se livrer à tant d'acrobaties tout en traînant un équipement si lourd sans même se départir de sa bonne humeur ? Ce joyeux drille nous gratifia d'un salut accrocheur et demanda à Susan Thibaudeau si elle voulait bien lui accorder une entrevue. Quelque peu décontenancée mais toujours affable, elle accepta cette invitation un peu surprenante et s'y prêta de bonne grâce.

Devant l'édifice de la Cour suprême, des journalistes nous attendaient; ils nous abordèrent afin de connaître nos impressions. Rien à dire. Tout dépendait dorénavant des argumentations qui seraient faites et surtout de l'interprétation qu'en donnerait la Cour suprême.

Et voilà, c'était reparti. Encore une fois, les arguments de la partie adverse étaient bien présentés : selon le gouvernement, le régime fiscal en place allégeait la charge fiscale combinée des deux parents après la séparation. Ce bénéfice pour le couple séparé découlait principalement du transfert de revenu alloué à la pension alimentaire, des crédits accordés pour les personnes entièrement à charge et de l'augmentation du montant des crédits remboursables. Toujours d'après le gouvernement, plus le revenu du payeur de la pension alimentaire était élevé par rapport à celui du bénéficiaire, plus l'avantage fiscal accordé au couple séparé, comparativement au couple marié, était important. Les statistiques compilées démontraient même, selon le gouvernement, le bien-fondé de ses arguments. Selon un de ses experts, il s'agissait d'une vérité toute crue et il fallait bien examiner les chiffres.

Il y avait encore ces analyses nombreuses dont l'objectif avoué était de comparer le fardeau fiscal des couples séparés avec celui des couples mariés, analyses tirées substantiellement de la *Child Support Award Database*, banque de données préparée par le ministère de la Justice. Ces données avaient été compilées à partir d'ordonnances juridiques prononcées entre le mois de septembre 1991 et le mois de mai 1992.

Cette foule de tableaux et de statistiques constituait le point central de l'argumentation du gouvernement à partir duquel étaient tissés tous ses raisonnements et ses incidences. Pour notre part, nous nous efforcions toujours de contester les chiffres de la partie adverse et de présenter nos propres expertises, qui laissaient voir une situation tout à fait différente. Comme devant la Cour canadienne de l'impôt et la Cour d'appel fédérale, l'argumentation de l'intimée Susan Thibaudeau traitait encore de grandes questions comme la conformité au principe d'équité, les différences existant entre la pension alimentaire et un revenu au sens de la *Loi de l'impôt sur le revenu*, les distinctions discriminatoires établies par le régime d'inclusion-déduction entre les titulaires de pensions alimentaires, les subventions fiscales accordées pour le bénéfice des enfants, la fiscalité adverse engendrée par le régime, les ajustements inadéquats du montant des pensions alimentaires, les difficultés de transmettre l'économie fiscale aux enfants, les effets compensatoires des crédits et déductions d'impôt et les possibilités d'implanter un mécanisme optionnel à la loi actuelle. Tout cela conduisait, selon nous, à abolir le régime d'inclusion-déduction et à mettre sur pied un système fiscal plus adéquat et plus juste.

En plus de prendre appui sur les expertises produites, ces propos étaient corroborés par ce qu'en avaient dit de nombreux comités d'enquête et commissions.

Dans un rapport intitulé *Les femmes et la fiscalité*[1], il était écrit que :

> ...
> Le point de vue selon lequel l'inclusion des paiements de pension alimentaire pour enfants dans le revenu serait nécessaire pour respecter l'équité fiscale... En effet, ce point de vue est basé sur l'hypothèse que ces paiements représentent un revenu. Il serait beaucoup plus approprié de décrire ces paiements comme un remboursement des coûts supportés par le parent qui a la charge des enfants et que le parent qui n'a pas la charge a l'obligation de partager avec le parent qui a la charge des enfants.

Et un peu plus loin :

> Les paiements de pension alimentaire non périodiques, ou ceux qui n'ont pas fait l'objet d'une ordonnance du tribunal ne donnent pas droit à une déduction et ne peuvent pas être inclus dans le revenu du bénéficiaire. En conséquence, l'équité entre les individus qui reçoivent

1. *Les femmes et la fiscalité*, rapport du groupe de travail, Commission de l'équité fiscale, novembre 1992, p. 46.

des paiements forfaitaires et ceux qui reçoivent des paiements périodiques pourrait garantir le même traitement fiscal pour les deux.

Une autre de nos cibles était le caractère désuet de la loi de 1942 qui ne permettait plus d'atteindre les objectifs qu'on lui avait fixés à l'époque. Sur cet aspect, le rapport du Comité fédéral/provincial/territorial sur le droit de la famille expliquait pour sa part ceci[2]:

> Lorsque la politique a été élaborée, la majorité des personnes qui payaient des pensions alimentaires se trouvaient dans une tranche d'imposition plus élevée que celle des bénéficiaires. Étant donné qu'un dollar de paiement de pension alimentaire pour enfants permet au payeur de déduire un montant d'impôt supérieur à l'augmentation d'impôt que subit le bénéficiaire, la déduction réduit les impôts fédéral et provincial combinés du couple séparé et peut encourager le payeur à augmenter le montant des paiements de pension alimentaire pour enfants. Toutefois, comme le nombre de tranches d'imposition a été réduit, les créanciers et les débiteurs de pensions alimentaires ne sont pas nécessairement soumis à des taux d'imposition différents malgré que les uns peuvent avoir des revenus supérieurs à ceux des autres.

D'autres études récentes soutenaient, par ailleurs, que le régime d'inclusion-déduction ne procurait une économie fiscale que dans un peu plus de 50 % des cas[3].

---

2. *Les incidences économiques des règles de fixation des pensions alimentaires pour enfants*, rapport du Comité fédéral/provincial/ territorial sur le droit de la famille, mai 1992, p. 94.
3. *Child Support Policy: Income Tax Treatment and Child Support Guidelines*, The Policy Research Center on Children, Youth and Families, Zweilbel, Ellen B. et Shillington, Richard, 1993.

Le taux de fiscalité adverse de ce système qu'on vantait tant était donc de 50 %, peut-être plus. Que faire dans les circonstances sinon abolir ce système ?

Dans notre mire se trouvaient également ces calculs présumément parfaits qu'on faisait au moment du divorce pour compenser l'incidence fiscale découlant de la loi. Là encore, le rapport du Comité fédéral/provincial/territorial sur le droit de la famille notait bien que « Bien que les incidences fiscales devraient constituer un élément de toutes les déterminations de pensions alimentaires pour enfants, il existe des motifs de croire que ces calculs ne sont peut-être pas toujours effectués[4]. »

Dans la même veine, le rapport du protecteur du citoyen constatait que les outils de fixation des pensions alimentaires pour enfants ne tenaient pas toujours compte de l'impact fiscal et que les juges étaient parfois mal renseignés à ce sujet[5]. Pour sa part, l'Honorable juge R. James Williams avait mené une enquête sur ses pairs en février 1990 et les résultats de ses investigations démontraient que « Seuls une minorité d'avocats présentaient les calculs d'impôt pertinents aux tribunaux et que la majorité des juges ne faisaient pas les calculs requis si les avocats ne leur en présentaient pas[6]. » Que dire dans les circonstances ? Que faire surtout ?

Après avoir discuté de tous ces sujets, pourquoi ne pas maintenant aborder cet « avantage extraordinaire » que la

---

4. *Op. cit.*, p. 101.
5. *Les enfants et la pension alimentaire, propositions de réforme*, protecteur du citoyen, novembre 1993, p. 3.
6. *Child Support: a Date Up and Vision of Quantification of Child Support*, Williams, R.J., 1989.

loi accordait aux femmes en incitant l'ex-conjoint, au moyen de déductions, à remplir ses obligations alimentaires dans les délais prévus? C'est malheureux, mais ça ne fonctionnait pas du tout! En réalité, ce fameux régime d'inclusion-déduction avait une incidence tellement faible sur le taux de respect des conventions et ordonnances alimentaires qu'il valait mieux ne pas en parler. À titre d'exemple, le Conseil consultatif canadien sur la situation de la femme rapportait qu'environ 85 % des débiteurs alimentaires ne respectaient pas les obligations contractées au moment de la séparation. Si ce non-respect découlait simplement de la capacité financière du débiteur alimentaire, l'argument aurait peut-être plus de valeur, mais le ressentiment entre ex-conjoints, le désintérêt à l'égard des enfants, l'insatisfaction relative aux modalités concernant la garde, les problèmes reliés à cette garde, étaient généralement pour beaucoup dans ces manquements aux obligations contractées. Ainsi, selon les conclusions prônées par le Conseil consultatif canadien sur le statut de la femme[7], la vraie solution résidait beaucoup plus dans l'avènement d'un régime structuré et coercitif de perception des pensions alimentaires que dans le maintien du régime fiscal d'inclusion-déduction.

Bien sûr, la partie adverse rétorqua qu'il fallait, non seulement voir les bienfaits accordés par la loi à ceux qui recevaient des pensions alimentaires, mais comprendre également la nécessité d'être équitable et de compenser l'impôt payé par un conjoint au moyen d'une déduction accordée à un autre conjoint. J'aimais la logique implacable

7. *Les taxes et les impôts: ce que toute femme devrait savoir*, Conseil consultatif canadien sur le statut de la femme, Townson, Monica, p. 19.

de cet argument qui me semblait aussi équitable que celui voulant que le parent qui n'avait pas la garde des enfants soit récompensé par rapport à celui qui assumait cette tâche difficile.

Finalement, une fois qu'on avait enlevé le fard de ce beau système fiscal, qu'on avait remplacé le maquillage par la réalité, on trouvait facilement que cette cohérence comptable avait quelques rides et que son espérance de vie devait être forcément plus courte que ce que certains espéraient. Parmi tous les tableaux exhibés, celui traitant de certains chiffres reliés aux présumés bénéfices découlant de la loi pour une famille de deux enfants était plus que révélateur. Il démontrait bien que ces « bénéfices » diminuaient de manière directement proportionnelle à l'accroissement du revenu de celui qui recevait la pension alimentaire. Cette conclusion était la même en 1984, en 1992 et en 1993. Avec un peu d'imagination, on pouvait prédire qu'elle serait encore valide dans dix ans.

Même si la Cour suprême n'accueillit pas nos arguments, ce fut un joli débat. À gauche, le ministre du Revenu du Canada et l'intervenant, le gouvernement provincial; à droite, l'intimée Susan Thibaudeau et les divers groupes d'intervention. Une vraie bagarre, une rixe de balafrés, un western à la sauce juridique où les Amérindiens et les cowboys avaient troqué leur costume respectif pour des toges et luttaient ensemble pour la dernière fois avant de fumer le calumet de paix.

Vers la fin de l'après-midi du 4 octobre 1994, tout était terminé. La Cour suprême du Canada venait de prendre l'affaire Susan Thibaudeau en délibéré et nous n'avions plus qu'à attendre. Les dés étaient jetés. Il fallait désormais être beau joueur, tout en espérant gagner la partie.

Justement, les jeux étaient faits dans la présente instance. Déjà, Susan Thibaudeau saluait tout son monde, distribuant les baisers et les poignées de main. Nous étions heureux, je crois, malgré l'énorme pression qui s'amenuisait à peine. Dans la salle, je distribuais moi aussi les accolades, m'attardant auprès d'une personne qui m'était plus chère que toutes les autres et qui m'avait particulièrement soutenu tout au long de cette affaire.

Nous ne sommes pas retournés à Québec ce soir-là. Le lecteur peut être assuré que nous avons goûté chacun des instants qui ont suivi cette période de stress inoubliable. Nous avons parlé de la cause inlassablement tout en dévorant notre souper. Je profitai de ce moment de détente pour parler à Susan Thibaudeau d'un projet qui me tenait à cœur :

— Que dirais-tu, Susan, si j'écrivais un livre sur toute cette histoire ?

En riant aux éclats, elle me répondit qu'elle me donnait son accord et tout son soutien pour la rédaction de ce livre à condition qu'il ne s'agisse pas d'une encyclopédie.

— Merci, Susan. J'ai déjà commencé, tu sais. Tu vas aimer ça.

— J'en suis certaine moi aussi. Salut et bon retour à Québec.

Le retour à Québec se fit dans une atmosphère de classe maternelle où les gamins que nous étions s'en donnaient à cœur joie. Les calembours et les blagues fusaient de toutes parts et nous nous évertuions, comme des enfants, à trouver les mots d'esprit les plus percutants.

Les semaines qui suivirent cette journée mémorable furent terriblement longues. Évidemment, nous soupçonnions que le jugement n'allait pas être rendu avant plusieurs mois, mais cela n'apaisait en rien notre anxiété.

Nous vaquions donc à nos occupations habituelles tout en n'oubliant pas cependant de tendre l'oreille lorsque parfois, emportée par le vent, une rumeur parvenait jusqu'à nous. Au mois d'avril 1995, toutes nos extrapolations étaient tombées. Après avoir plaidé cette cause au mois d'octobre 1994, nous avions supputé que le jugement serait rendu au début de l'année suivante. Puis les mois de janvier et février passèrent sans que nous ayons aucune nouvelle. La seule certitude était qu'il y avait de la neige partout.

Après un long hiver, le mois de mars vint avec ses rayons de soleil furtifs, sa gadoue et ses journées qui allongeaient. L'espoir était plus présent que jamais. Surtout que l'échéance pour produire les déclarations des revenus était fixée au 30 avril comme chaque année : nous étions convaincus que, passé ce délai, le jugement devait obligatoirement nous être favorable. En effet, cette absence de nouvelles qui durait depuis des mois ne signifiait-elle pas que le plus haut tribunal du pays avait voulu protéger la stabilité fiscale des contribuables et des gouvernements pour l'année qui se terminait et qu'il était assez prévoyant et délicat pour annoncer la mauvaise nouvelle aux gouvernements concernés après cette échéance ? Selon nous, il s'agissait d'un raisonnement assez juste et confiants, nous anticipions avec délectation, bien que prudemment, ce bonheur prochain.

Le jeudi 25 mai 1995, la décision fut rendue : nous avions perdu la bataille. Je me souviendrai longtemps de cette journée ; toute notre étude avait été mobilisée dans l'attente du jugement. Une semaine auparavant, on nous avait avisés au greffe de la Cour suprême du Canada que le jugement allait être rendu le jeudi suivant et que des intervenants communiqueraient avec nous pour nous annoncer les conclusions.

Peu avant dix heures, le téléphone sonna dans le bureau de mon associé, Maître Bernier. Après quelques secondes, nous sûmes que les carottes étaient cuites. Susan Thibaudeau et ses avocats avaient perdu cette dernière joute judiciaire. Ne se départissant pas de son flegme, mais avec beaucoup d'émotion dans la voix, Maître Bernier annonça par interphone à la vingtaine d'avocats et d'employés de la firme que la Cour suprême du Canada avait renversé le jugement rendu par la Cour d'appel fédérale. Ce fut la consternation. Nous avions peine à le croire : cette annonce mettait fin à plusieurs années de lutte acharnée, engloutissant comme par magie d'innombrables efforts. Pour ma part, j'encaissai le coup avec difficulté. Telle était donc la conclusion de toutes nos démarches? J'appréhendais le moment où je rencontrerais Susan Thibaudeau et où nous aurions à épancher notre douleur.

Quelques minutes plus tard, nous dûmes affronter la mitraille des journalistes qui venaient d'apprendre eux aussi que le jugement de la Cour suprême du Canada ne nous était pas favorable. Ce fut un moment pénible, il faut bien le dire. Se recomposer un visage, se donner une certaine prestance en dépit de la douleur ressentie, était un exercice de haute voltige dans les circonstances. Nous n'avions cependant pas le choix. C'était ça ou montrer à des milliers de personnes que nous étions abattus et que ce jugement nous faisait cruellement mal. Même si une conférence de presse avait été fixée pour l'après-midi, quelques journalistes avaient réussi à solliciter des entrevues. Ce sont eux qui virent les premiers Susan Thibaudeau sortir du bureau de Maître Bernier et se diriger lentement vers la salle de conférence où toute cette histoire avait véritablement commencé.

Avant de s'asseoir à la place qu'on lui avait désignée, Susan Thibaudeau dit calmement mais fermement à tous ceux qui l'entouraient qu'elle était profondément déçue du jugement rendu par la Cour suprême du Canada et qu'elle était désormais convaincue que la justice était faite par des hommes pour des hommes. Elle dit cela sans sourciller et avec l'assurance de celle qui s'est battue jusqu'au bout de ses forces et qui n'a aucun regret dans les circonstances. Cependant, elle ressentait de l'amertume, car elle avait l'intime conviction que la dissidence enregistrée dans ce jugement par les Honorables juges L'Heureux-Dubé et McLachlin était fort révélatrice (nous étions déjà informés, en effet, du dispositif du jugement qui nous avait été transmis par télécopieur et connaissions les opinions des sept juges qui avaient entendu la cause) : elle indiquait que les opinions au sein même du plus haut tribunal du pays différaient selon les sexes. En effet, les juges McLachlin et L'Heureux-Dubé étaient les deux seules femmes faisant partie du groupe de juges qui nous avaient entendus à la Cour suprême. Nous étions en droit de nous demander ce qu'il serait advenu de la cause s'il s'était trouvé un tribunal composé majoritairement de femmes...

De l'avis de Susan Thibaudeau, les derniers juges devant qui elle avait plaidé sa cause étaient tous de la même qualité, avaient tous une compétence reconnue, possédaient tous la même charge juridique et le même jugement. Pour expliquer leur divergence d'opinions, il fallait donc se rabattre sur leur différence de sexe. Elle était convaincue (et nous l'étions aussi) que les Honorables juges L'Heureux-Dubé et McLachlin avaient favorisé la réalité plutôt que la beauté des théorèmes qui n'ont pas leur place dans la vie de tous les jours. En d'autres mots, il n'y avait pas de préjudice pour certains alors qu'il y en avait un pour les autres. Aujourd'hui encore, je me demande comment l'on peut penser que les femmes ne subissent pas de préjudice par l'application des dispositions fiscales visées alors qu'elles paient en réalité plus d'impôt à cause de ces dispositions et qu'elles doivent gérer en réalité ces sommes pour le bénéfice des gouvernements, payer tous les frais d'experts pour faire diminuer cet impact fiscal et assumer les coûts inhérents à la procédure d'appel lorsque la comptabilisation fiscale n'est pas parfaitement effectuée par les tribunaux de première instance. Nous parlons évidemment de la réalité. Mais qu'est-ce qu'une justice qui vit dans les limbes ? Que peuvent penser toutes ces femmes qui se font dire qu'elles n'ont aucun problème à cause de l'imposition de leur pension alimentaire alors qu'elles nagent justement dans une mer de problèmes ? Ne tentez surtout pas de leur expliquer la mécanique juridique de la discrimination et ses critères d'application qui concluent dans leur cas à une absence de préjudice alors qu'elles n'ont souvent pas assez d'argent pour subvenir aux besoins les plus élémentaires de leur famille, qu'elles doivent souvent avoir deux emplois et qu'elles n'ont pas un instant de répit pour penser à elles. Elles aimeraient aussi sortir de cette réalité misérable qui les aliène, mais elles sont bien vite ramenées dans leur cauchemar par des contingences qui n'ont rien à voir avec la théorie.

Certains argumenteront peut-être que Susan Thibaudeau n'est pas pauvre et que nous dramatisons son cas. Commentaire facile, mais attention ! Toutes les femmes n'ont pas la chance d'avoir un emploi valorisant et rémunérateur et de recevoir une pension alimentaire aussi substantielle que celle que Susan Thibaudeau reçoit pour ses enfants. Je suis d'ailleurs parfaitement conscient que beaucoup de femmes au Canada vivent bien en dessous du seuil de pauvreté et que, souvent, la maigre pension alimentaire qu'elles reçoivent pour leurs enfants n'est pas suffisante. Lorsque l'impôt est passé, il ne leur reste que bien peu pour subsister. Certaines personnes ricanent peut-être lorsqu'elles comparent leur cas à celui de Susan Thibaudeau, mais elles doivent comprendre que sa cause était aussi la leur.

Lorsque Susan Thibaudeau eut terminé de faire ses commentaires aux journalistes qui l'entouraient ce matin du 25 mai 1995, Maître Bernier se permit aussi quelques propos fort sagaces qui décortiquèrent bien le jugement rendu et illustrèrent les divergences d'opinions qui y apparaissaient. Je préférai pour ma part ne pas parler de cette brique de près de deux cents pages qui nous était transmise au même moment et que j'allais devoir étudier sous peu. Autour de nous, les gens, consternés, s'éloignaient comme pour respecter notre douleur. C'était loin d'être la joie, contrairement à la journée du 3 mai 1994 où nous avions reçu le jugement de la Cour d'appel fédérale.

Au cours de l'après-midi, j'assistai, en compagnie de Susan Thibaudeau et de ceux et celles qui avaient travaillé à ce dossier, à la conférence de presse qui eut lieu au Château Bonne-Entente à Sainte-Foy. Mais, ô scandale! seuls nos coiffeurs le savaient! Très peu de journalistes s'étaient déplacés pour la circonstance. Triste ou heureuse coïncidence, cette journée du 25 mai avait également été choisie par l'état-major de notre ancienne équipe de hockey, les Nordiques de Québec, pour annoncer que le club était vendu à des intérêts américains et que nous n'avions plus qu'à nous consoler les uns les autres. Il était assez ironique de voir la presse ignorer négligeamment les conclusions d'un recours si extraordinaire, de constater comme les intérêts des femmes pesaient peu lorsqu'ils étaient confrontés aux graves soucis de hockeyeurs qui gagnaient plusieurs centaines de milliers de dollars par année, voire des millions. Cette conférence de presse impromptue convoquée par les Nordiques de Québec éclipsait littéralement les retombées du jugement de la Cour suprême et cette confrontation donnait plus de poids aux propos de Susan Thibaudeau qui voyait dans ce jugement une volonté d'accorder la priorité à des intérêts financiers au détriment des enjeux sociaux.

Elle exprimait également son admiration pour ces dames de la Cour suprême qui avaient, selon elle, bien évalué la situation des femmes et qui avaient voulu rendre une justice humaine et pratique. Elle n'affichait aucun dépit, mais invitait plutôt les femmes à se plaindre de la situation et à faire savoir leur mécontentement aux dirigeants du pays. Elle suggérait aux femmes lésées dans leur rôle de mère et de pourvoyeuse d'appeler les ministres concernés afin d'avoir voix au chapitre et d'émettre directement leurs opinions. Elle les invitait toutes encore une fois au combat, les incitait à ne pas céder au découragement, les enjoignait de continuer leurs démarches pour assurer leur mieux-être, celui de leurs enfants et celui des générations futures. Ses propos et ses agissements laissaient transparaître son amour pour ces femmes, malgré la peine qu'elle ressentait et qui la laissait quelque peu anéantie.

La conférence de presse dura à peine une trentaine de minutes. L'après-midi tirait à sa fin et la plupart des journalistes présents se ruèrent vers la sortie dans l'espoir de glaner les derniers échos de certains Québécois qui tenaient un discours beaucoup plus rutilant où s'entremêlaient les signes de piastre, les rondelles, les lames de patins et les larmes de pantins.

Au cours des jours qui suivirent, je résolus de ne pas lire les journaux et de laisser mon téléviseur éteint. Je ne voulais pas m'écorcher davantage. Bien sûr nous avions perdu cette cause, mais de là à me le faire répéter sur toutes les chaînes ! J'essayai plutôt de bien comprendre les motifs du jugement rendu par la Cour suprême en reprenant un par un les arguments qui y étaient exposés. La première conclusion qui sautait aux yeux était que les juges expliquaient de façon parfaitement rationnelle et rigoureuse leur position respective. Ils reprenaient systématiquement les arguments avancés, les décortiquaient, les appréciaient, reprenaient les principes juridiques concernés et donnaient une conclusion qui, du point de vue de chacun, s'harmonisait fort bien avec le raisonnement. La seconde conclusion était que tous les hommes qui formaient la majorité de cette Cour appréciaient les critères de la discrimination d'une manière fort théorique dans les circonstances, presque aseptisée, alors que les deux femmes juges, dissidentes minoritaires, privilégiaient l'application pratique de ces préceptes juridiques.

CHAPITRE 24

Le jugement de la Cour suprême du Canada

Le 25 mai 1995, la Cour suprême du Canada rendait donc sa décision dans l'affaire *Sa Majesté la Reine* contre *Susan Thibaudeau* en jugeant que l'alinéa 56 (1)b) de la *Loi de l'impôt sur le revenu* (SC 1970-71-72, chapitre 63) ne portait pas atteinte au droit à l'égalité garanti par le paragraphe 15 (1) de la *Charte canadienne des droits et libertés.* Ayant répondu négativement à cette première question, la Cour suprême ne discuta évidemment pas de l'article premier de la Charte et des limites imposées par celui-ci.

Dans une décision majoritaire de cinq contre deux, la Cour suprême rejeta les prétentions de Susan Thibaudeau selon lesquelles l'imposition des pensions alimentaires prévue à l'alinéa 56 (1)b) de la *Loi de l'impôt sur le revenu* était discriminatoire du fait qu'elle créait une inégalité flagrante parmi différentes catégories de contribuables et occasionnait à un groupe bien particulier des désavantages sérieux. Incidemment, même si certaines dispositions fiscales (et plus particulièrement l'alinéa 56 (1)b) de la *Loi de l'impôt sur le revenu)* créaient effectivement une distinction entre Susan Thibaudeau et ses semblables et d'autres groupes de personnes, cette inégalité ne pouvait être qualifiée de discriminatoire puisqu'elle n'imposait pas de fardeau aux contribuables visés, ni ne les privait de bénéfices. Pour la Cour suprême du Canada, l'examen des critères afférents au concept de la discrimination enchâssé au paragraphe 15 (1) de la *Charte canadienne des droits et libertés* ne permettait pas de conclure que la distinction faite était discriminatoire. Les prétentions de Susan Thibaudeau devaient donc être rejetées.

Il est intéressant de prendre connaissance de ce jugement et d'en discuter les grandes lignes puisque cet examen permet l'analyse des motifs qui ont incité le plus haut tribunal du pays à rejeter la thèse de la discrimination dans une cause aussi importante que celle-là.

Pour la majorité, composée des Honorables juges La Forest, Sopinka, Gonthier, Cory et Iacobucci, il était d'abord important de rappeler le contexte dans lequel s'inscrivaient les dispositions fiscales. Pour eux, il était manifeste que la *Loi de l'impôt sur le revenu* reposait sur le principe voulant qu'un revenu imposable soit calculé en tenant compte de l'ensemble de toutes les sources de revenu, principe qui ne souffrait que peu d'exceptions. Cette globalité interdisait donc, par exemple, à un contribuable de diviser entre les membres de sa famille le total de son impôt à payer. Toutefois, cette globalité pouvait souffrir certaines atténuations : par exemple, le régime d'inclusion-déduction mis en place en 1942 par le jeu combiné des alinéas 56 (1)b) et 60 b) de la *Loi de l'impôt sur le revenu*, autorisait, à titre exceptionnel, le fractionnement du revenu entre les conjoints séparés ou divorcés dans le but d'accroître leurs ressources disponibles. Ce fractionnement du revenu, par ailleurs interdit sous le régime général d'imposition, permettait aux payeurs de pensions alimentaires de voir leur revenu fractionné d'un montant équivalant aux pensions alimentaires; ils n'étaient donc pas imposés sur tous leurs revenus, contrairement au principe général de la loi fiscale. Le fractionnement du revenu procurait dans la plupart des cas, d'après le tribunal, une épargne nette d'impôt qui permettait d'augmenter d'autant les sommes alimentaires attribuées pour le bénéfice des enfants. Seule réserve : pour que cette déduction accordée aux payeurs dans le cadre de l'alinéa 60 b) de la *Loi de l'impôt sur le revenu* profite aussi aux parents gardiens d'enfants, l'impôt additionnel que ces derniers étaient appelés à payer devait être compensé par une augmentation de la pension alimentaire fixée par le tribunal dans le cadre de la séparation.

Évidemment, la majorité des membres de la Cour suprême reconnaissaient d'emblée que le paragraphe 15 (1) de la *Charte canadienne des droits et libertés* a pour but de protéger la dignité humaine en garantissant à tous le même intérêt, le même respect, la même considération. Dans cette veine, ils s'accordaient pour bien examiner l'effet de la distinction alléguée par Susan Thibaudeau et engendrée par le libellé et l'application de l'alinéa 56 (1)b) de la *Loi de l'impôt sur le revenu*. Pour la Cour suprême cependant, il ne fallait pas confondre le concept d'équité fiscale avec la notion de droit à l'égalité. Il était faux de prétendre que chaque contribuable avait droit également aux mêmes sommes, aux mêmes déductions et aux mêmes avantages. On devait plutôt dire qu'il avait le droit d'être également régi par la *Loi de l'impôt sur le revenu*. En d'autres termes, la question était de savoir si la distinction qui existait entre les contribuables était anormale, voire malsaine. C'est dans cette optique qu'il fallait examiner si l'alinéa 56 (1)b) créait à l'égard de Susan Thibaudeau et des personnes dans sa situation une inégalité en comparaison d'autres groupes de contribuables et si cette inégalité leur causait un préjudice. (inégalité et préjudice devaient de plus être provoqués par une caractéristique personnelle telle que le sexe, le statut civil ou la condition sociale.)

Bien sûr, la contribuable devait prouver, dans le présent cas, que la loi contestée était discriminatoire aux termes du paragraphe 15 (1) de la *Charte canadienne des droits et libertés.* Pour bien examiner ses prétentions, il fallait scruter tant les objectifs poursuivis que les effets produits par l'article 56 (1)b) de la *Loi de l'impôt sur le revenu.*

La Cour suprême se demanda d'abord si la disposition concernée causait une distinction entre les couples séparés ou divorcés, membres d'un groupe particulier, et les autres couples. Ayant répondu affirmativement à cette première question, elle voulut ensuite vérifier si cette distinction engendrait un préjudice à l'égard du groupe visé, si elle avait pour résultat d'imposer à Susan Thibaudeau et aux personnes dans sa situation un fardeau, une obligation ou un désavantage non imposé aux autres couples. Dans l'étude qu'elle fit de l'alinéa 56 (1)b) et de ses applications, la Cour suprême rejeta l'existence de tout préjudice pour les couples dont un des membres était imposé sur une pension alimentaire qu'il recevait pour le bénéfice exclusif de ses enfants. Devant cet état de fait, elle décida de ne pas passer à la troisième étape de l'analyse du paragraphe 15 (1) de la Charte et refusa de s'interroger sur la pertinence de la caractéristique personnelle en vertu de laquelle la distinction était créée.

La majorité de la Cour suprême n'eut d'abord aucun mal à déterminer le groupe dont se réclamait Susan Thibaudeau, soit celui des parents gardiens d'enfants jouissant d'une certaine autonomie financière et recevant dès lors une pension pour le seul bénéfice de leurs enfants. Elle n'eut pas de mal non plus à admettre que la majorité des personnes qui recevaient une telle pension alimentaire étaient des femmes et qu'elles étaient ciblées à ce titre et en leur qualité de parents gardiens d'enfants, par les dispositions prescrites à l'alinéa 56 (1)b) de la *Loi de l'impôt sur le revenu.* Cependant, elle fonda son étude sur le fait que le groupe visé par la loi était plutôt composé des couples séparés ou divorcés dont un parent versait une pension alimentaire à l'autre selon un jugement ou une entente. La Cour suprême refusa de comparer le statut des parents gardiens d'enfants recevant une pension alimentaire pour leurs enfants et évalua plutôt la distinction faite à partir de l'unité du couple séparé ou divorcé par rapport à d'autres couples. Et il n'était pas nécessaire d'insister davantage sur l'existence d'une distinction réelle créée par la *Loi de l'impôt sur le revenu* à son alinéa 56 (1)b).

Comme je l'ai déjà mentionné, la seconde question était l'absence de fardeau, de préjudice. La Cour suprême jugea que le groupe des parents seuls qui avaient la garde de leurs enfants et qui recevaient une pension alimentaire pour ceux-ci, n'était pas assujetti à un préjudice ou à un fardeau par le régime d'inclusion-déduction. Cette décision découlait principalement du fait que ce régime visait à minimiser les incidences fiscales dans l'attribution des pensions alimentaires et que cet objectif permettait que plus d'argent fût consacré à l'entretien des enfants. Le régime d'inclusion-déduction favorisait donc la famille dans son ensemble.

Selon le tribunal, ce régime d'inclusion-déduction favorisait l'unité familiale après la séparation et le fait que l'un des membres de cette « unité » pût retirer un avantage plus grand que l'autre n'entraînait pas en soi une violation du paragraphe 15 (1) de la *Charte canadienne des droits et libertés.* L'allégement global du fardeau fiscal des couples visés par ce régime prouvait manifestement l'absence de préjudice pour l'unité familiale et conséquemment, pour les membres de ce couple et pour les enfants, et ce, même si l'imposition reposait ultimement sur le parent qui recevait une pension alimentaire.

Considérant les économies engendrées par le régime d'inclusion-déduction, Susan Thibaudeau et ses pairs ne pouvaient, par conséquent, prétendre subir un préjudice lié à l'existence même du régime en cause. La différence entre le traitement des deux parents, qui ne profitaient pas dans une même proportion des économies d'impôt réalisées, ne pouvait constituer aux yeux du tribunal un préjudice interdit par la Charte. En raison du principe de l'unité familiale, la Cour suprême insista à dessein sur le groupe des parents prestataires assujettis à un taux d'imposition inférieur à celui des parents qui payaient la pension alimentaire et ne parla pas des cas où la différence entre les taux d'imposition respectifs annihilait les bénéfices du régime ou causait carrément un préjudice. La priorité, pour la majorité de la Cour suprême, était d'examiner les effets du régime sur les deux parents, pas seulement par rapport à celui qui recevait la pension alimentaire. Comme, de façon générale, ceux qui recevaient des pensions alimentaires étaient assujettis à un taux d'imposition inférieur à celui des parents payeurs, c'est ce qu'il fallait considérer ; Susan Thibaudeau et ses semblables ne pouvaient prétendre subir un préjudice lié à l'existence du régime d'inclusion-déduction. Le fardeau fiscal du « couple » étant réduit par ce régime, vu que les sommes disponibles pour la pension alimentaire étaient augmentées, on ne pouvait parler de désavantage pour le couple et, par voie d'incidence, pour les membres de ce couple. D'autant plus que le droit de la famille veillait au grain pour combler l'écart qui pouvait parfois survenir entre l'impôt exigé et la pension alimentaire reçue.

Même si ce régime d'inclusion-déduction comportait des imperfections évidentes dans son application, il était clair pour la majorité de la Cour suprême qu'il ne pouvait causer préjudice à ceux qu'il avantageait. En plus des bénéfices accordés à l'unité familiale, il fallait considérer que le revenu imposable, en vertu des alinéas 56 (1)b) et 60 b), était régi par le droit de la famille et que celui-ci devait comptabiliser, en théorie du moins, les calculs de majoration pour tenir compte de l'impôt payable sur ce revenu additionnel. Selon la Cour suprême, cette comptabilisation de l'incidence fiscale devait être parfaite et, en cas d'erreur, il y avait des moyens de réexaminer les ordonnances alimentaires pour remédier à tout transfert disproportionné de l'impôt payable entre les ex-conjoints. Cette interaction existant entre la *Loi de l'impôt sur le revenu* et le droit de la famille excluait également l'existence de tout fardeau à la lumière des autorités relatives au paragraphe 15 (1) de la *Charte canadienne des droits et libertés.* L'effet engendré par les dispositions des alinéas 56 (1)b) et 60 b) de la *Loi de l'impôt sur le revenu* ne pouvait donc jamais créer un fardeau.

Selon la majorité de la Cour suprême, il fallait exclure toute discrimination en l'espèce. Plus particulièrement, dans le cas de Susan Thibaudeau, la Cour suprême reconnut qu'il semblait y avoir un transfert disproportionné de l'impôt à payer entre les ex-conjoints, mais elle jugea néanmoins que la responsabilité n'en incombait pas à la *Loi de l'impôt sur le revenu,* qu'elle relevait plutôt du droit de la famille et des procédures afférentes. Pour la Cour suprême, cette analyse était conforme à la nature même de la loi fiscale et au libellé de la disposition de la loi attaquée puisqu'ils la renvoyaient expressément tous deux au domaine du droit familial. Il était certes pertinent d'examiner cette loi dans son entier, mais également à la lumière des mesures prescrites par d'autres lois, le droit de la famille en l'occurrence.

Reconnaissant que l'effet bénéfique du régime d'inclusion-déduction était amoindri depuis que la loi avait été votée en 1942, le tribunal jugea enfin que ses avantages étaient encore nombreux et que les imperfections qu'il comportait, comme la répartition inégale des montants et les difficultés de percevoir les pensions alimentaires adjugées, ne relevaient pas de la *Loi de l'impôt sur le revenu,* mais plutôt du droit familial. C'est ce dernier régime qui devait s'occuper d'équilibrer, dans le meilleur intérêt de l'enfant, les sommes visées par l'alinéa 56 (1)b) de la *Loi de l'impôt sur le revenu.*

CHAPITRE 25

Les motifs des juges dissidentes

Ce n'est évidemment pas sur l'appréciation des faits que divergèrent les Honorables juges L'Heureux-Dubé et McLachlin. C'est sur les incidences pratiques de ces faits et sur l'application dans la réalité du régime d'inclusion-déduction.

Les juges dissidentes apprécièrent bien différemment les bienfaits présumément accordés par le régime d'inclusion-déduction. Considérant l'historique des alinéas 56 (1)b) et 60 b) de la *Loi de l'impôt sur le revenu*, elles prouvèrent que le Parlement ne s'était jamais préoccupé de l'égalité du traitement entre les parents séparés et qu'au contraire, le potentiel d'inégalité contenu dans la *Loi de l'impôt sur le revenu* a été exacerbé au cours des années qui ont suivi son adoption. Expliquant cette fiction juridique qui veut que le parent gardien et le parent non gardien d'enfants ne soient pas considérés comme des unités de taxation distinctes mais comme une seule unité d'imposition, soit la famille, elles expliquèrent que le fractionnement du revenu effectué par ce régime n'était pas toujours avantageux, bien au contraire. En 1942, quand très peu de femmes avaient à payer de l'impôt, il était important, voire nécessaire, d'édicter une loi qui favorisait l'amélioration de la situation du mari ou du père, dans la mesure où le sort de tous en dépendait. Il n'y avait donc pas nécessité, à cette époque, d'assurer un traitement fiscal égal aux ex-conjoints.

Or, selon les juges dissidentes, cette loi qui était fondamentalement axée sur l'amélioration de la situation financière des parents non gardiens d'enfants, qui étaient le plus souvent des hommes, comportait donc, forcément, des inégalités futures pour ces femmes qui ne bénéficieraient pas d'un ajustement adéquat du montant de la pension alimentaire pour compenser le fardeau fiscal supplémentaire qu'elles allaient être obligées d'assumer, vu l'augmentation de leur revenu imposable (la majorité des femmes travaillent aujourd'hui et paient conséquemment plus d'impôt). Cette inégalité, en 1942, avantageait réellement le couple et l'unité familiale. Dans le contexte actuel, cette inégalité se faisait grandement ressentir pour les milliers de contribuables féminins dont on n'entendait pas parler au début des années 1940.

Pour la minorité de la Cour suprême, si l'on voulait suivre une certaine logique, l'imposition prescrite par l'alinéa 56 (1)b) de la *Loi de l'impôt sur le revenu* décourageait les femmes d'atteindre l'autonomie financière et pouvait les dissuader d'augmenter leur revenu. Les prémisses du régime d'inclusion-déduction, qui étaient valables lors de son adoption, correspondaient de moins en moins à la réalité actuelle et empêchaient les femmes de se mettre en valeur et de se réaliser pleinement. De nos jours, il n'était donc plus équitable de faire supporter l'obligation fiscale par la personne qui dépensait la pension alimentaire, en contradiction avec le principe général de l'impôt qui veut que la personne imposée soit celle qui gagne le revenu. (Il faut croire que cette opinion des juges dissidentes était valable puisque le gouvernement a, comme on le sait, décidé de changer sa loi à partir du 1er mai 1997.)

Dans leur appréciation des critères du paragraphe 15 (1) de la *Charte canadienne des droits et libertés*, les juges dissidentes se sont d'abord, elles aussi, demandé si la loi contestée traitait différemment Susan Thibaudeau en lui imposant un fardeau non imposé à d'autres (ou en lui refusant un avantage accordé à d'autres) et si ce traitement inégal était discriminatoire. Là aussi, il fut jugé que l'alinéa 56 (1)b) de la *Loi de l'impôt sur le revenu* établissait des distinctions, mais elles insistèrent sur le fait que ces distinctions imposaient à un groupe réellement identifiable, soit celui des parents gardiens d'enfants, séparés ou divorcés, un fardeau inégal. Pour les deux juges composant la minorité, ce régime d'inclusion-déduction désavantageait dans son ensemble les ex-conjoints gardiens d'enfants et avantageait les ex-conjoints non gardiens. Ces dispositions fiscales accroissaient manifestement la vulnérabilité d'un groupe qui était déjà victime de bien des préjugés sociaux et pécuniaires.

En ce qui avait trait à l'inégalité ou à la distinction faite, il était clair pour les Honorables juges L'Heureux-Dubé et McLachlin qu'il existait une inégalité causée par la loi entre la déduction favorisant le parent non gardien et l'imposition radicale du parent gardien d'enfants souvent obligé de s'organiser pour bénéficier éventuellement d'un ajustement aléatoire et incertain. Toutefois, cette distinction n'était pas la seule : le régime d'inclusion-déduction récompensait le parent non gardien d'enfants qui pouvait déduire de son revenu imposable les sommes qu'il consacrait à l'entretien des enfants alors que non seulement le parent gardien ne pouvait pas déduire les sommes qu'il consacrait à l'entretien de ces mêmes enfants, mais il devait également payer l'impôt normalement dû par le parent non gardien d'enfants. Ainsi, pour la minorité de la Cour suprême, il était injuste de nier l'inégalité lorsqu'il est démontré qu'un contribuable est l'objet d'un traitement inégal par rapport à un autre en arguant que l'unité familiale globale a été traitée équitablement. Cela ne constitue pas une application pratique des critères afférents au paragraphe 15 (1) de la *Charte canadienne des droits et libertés*.

Quant au préjudice, il semblait évident pour la minorité de la Cour suprême du Canada que la comparaison des obligations fiscales du parent gardien d'enfants et celles du parent non gardien le prouvait de façon magistrale. Considérant qu'il n'était pas nécessaire que tous les membres d'un groupe subissent des effets préjudiciables en vertu de la distinction créée, il devenait évident dans les motifs dissidents que Susan Thibaudeau et plusieurs de ses semblables subissaient un fardeau injuste en raison de l'application des dispositions fiscales.

Cette stigmatisation de la séparation et du statut de parent gardien d'enfants créait en effet plusieurs préjudices graves. D'abord, il y avait ce désavantage découlant de l'obligation pour le parent gardien d'enfants, séparé ou divorcé, d'inclure dans son revenu imposable les sommes versées pour la pension alimentaire des enfants, contrairement au parent non gardien qui pouvait déduire ces sommes automatiquement et de manière absolue. Deuxièmement, il y avait l'impossibilité pour le parent gardien d'enfants de déduire de son revenu imposable les sommes qu'il consacrait lui-même à l'entretien des enfants alors qu'il devait, par surcroît, payer l'impôt qu'en principe le parent non gardien aurait dû payer sur la part de son revenu consacrée à cette fin. Que l'ensemble du régime d'inclusion-déduction ait pu constituer un avantage pour la majorité des couples divorcés ou séparés par rapport aux autres couples n'interdisait absolument pas de conclure que ce même régime imposait un traitement inégal au sein du couple en occasionnant à l'un de ses membres un préjudice que l'autre ne subissait pas. D'ailleurs, même en ce qui concerne le couple, ce régime engendrait un préjudice important lorsque le taux marginal d'imposition du parent gardien était supérieur à celui du parent non gardien d'enfants, ce qui était le cas dans environ 30 % des situations. Toujours est-il que Susan Thibaudeau devait personnellement payer une somme supplémentaire de 2 500 $ en impôt fédéral pour l'année 1989 puisque les dispositions de la loi fiscale augmentaient son impôt fédéral de 3 705 $ pour cette même année, alors que le jugement de divorce ne lui accordait que 1 200 $ pour compenser cette charge fiscale supplémentaire.

Réfutant les arguments exprimés par la majorité, les Honorables juges L'Heureux-Dubé et McLachlin ne voulurent pas considérer la famille séparée comme une entité aux fins fiscales puisque cela ne correspondait pas à la réalité. Comment, en effet, centrer l'examen de la discrimination sur le couple alors qu'il n'existait plus de couple après la séparation ? C'était faire fi de la réalité et de la situation véritable des parties touchées par ce régime. Dans la réalité, les ex-conjoints vivaient les difficultés courantes beaucoup plus en tant qu'individus qu'en tant que couple. Si les conjoints étaient séparés, pourquoi les réunir en ce qui avait trait à leur imposition ? Le fait que l'ensemble du régime d'inclusion-déduction ne préjudiciait pas la majorité des couples divorcés ou séparés par rapport aux autres couples, et pouvait même constituer un avantage pour eux dans 67 % des cas, n'excluait absolument pas que ce même régime créait un traitement préjudiciable au sein même du couple en imposant à l'un de ses membres un fardeau qui n'était pas imposé à l'autre.

L'absence de désavantage pour l'ensemble du couple dans la plupart des cas ne faisait pas disparaître l'existence réelle d'un traitement préjudiciable à un de ses membres. Même si on parlait d'une économie d'impôt de plusieurs millions de dollars grâce au fractionnement du revenu effectué par le régime d'inclusion-déduction, celle-ci ne pouvait justifier l'inégalité et les préjudices subis puisque cette économie n'était pas équitablement partagée entre les parents séparés ou divorcés. Comment pouvait-on parler de bénéfices accordés au couple alors que l'un des deux s'enrichissait et que l'autre s'appauvrissait ? Lorsqu'on examinait l'objet recherché au paragraphe 15 (1) de la *Charte canadienne des droits et libertés*, on devait tenir compte des inégalités individuelles et ne pas envisager la question simplement sous l'angle du couple. Selon les motifs exprimés par la minorité, il était irréaliste de supposer que les parents, même s'ils assumaient encore les besoins de leurs enfants, pussent continuer de fonctionner comme s'il n'y avait pas eu de séparation et qu'ils constituaient toujours une entité.

En résumé, Susan Thibaudeau ne faisait pas partie des 67 % de couples qui devaient profiter, comme entité familiale, du régime d'inclusion-déduction et elle a subi personnellement les désavantages de ce système. C'est d'ailleurs ce qu'avait reconnu le juge au moment du divorce lorsqu'il a mentionné que les dispositions de la loi lui imposaient un pourcentage disproportionné du fardeau financier. L'accroissement de l'impôt à payer, l'obligation qui était faite aux prestataires de pension alimentaire de pallier les préjudices créés par la *Loi de l'impôt sur le revenu*, tous les coûts inhérents à cette comptabilisation fiscale parfaite qui devaient encore être assumés par celui qui recevait la pension alimentaire, le statut de gestionnaire qui devait servir les intérêts du gouvernement au détriment de sa famille, pesaient comme autant de fardeaux sur ses épaules.

Évidemment, le préjudice personnel ne devait pas faire oublier que le régime d'inclusion-déduction portait également atteinte au couple dans 29 % des cas.

Pour la minorité, une conclusion inéluctable s'imposait : le système d'inclusion-déduction réussissait à la fois à imposer aux parents gardiens d'enfants, séparés ou divorcés, un fardeau inégal et à les priver d'un partage équitable des avantages accordés par la loi. L'alinéa 56 (1)b) de la *Loi de l'impôt sur le revenu* était par conséquent discriminatoire.

Quant au droit de la famille, second argument invoqué par la majorité de la Cour suprême pour juger que l'alinéa 56 (1)b) ne causait pas de préjudice, il était évident pour les deux juges dissidentes qu'il ne parvenait pas en pratique à rectifier l'inégalité créée par le régime d'inclusion-déduction puisque l'incidence fiscale dans l'attribution de la pension alimentaire n'était pas toujours évaluée par les tribunaux. Lorsqu'elle l'était, cette compensation était souvent insuffisante pour couvrir l'impôt additionnel exigé en raison du régime. Par nature, l'évaluation des ordonnances alimentaires au profit des enfants laissait place à l'exercice d'une discrétion très étendue et souvent incompatible avec la mathématique rigoureuse de la comptabilisation fiscale. Même dans l'éventualité d'un fonctionnement parfait du droit familial, celui-ci n'aurait pu neutraliser entièrement les défauts du régime d'inclusion-déduction.

En fait, il était étrange de vouloir préserver la légalité d'un système par l'existence de mécanismes correctifs qui, en plus de ne pas fonctionner parfaitement, imposaient à une seule personne les fardeaux psychologique et économique inhérents à leur mise en place. Le problème devenait encore plus aigu lorsque les pensions alimentaires étaient versées en vertu d'un accord entre les parties et non d'une ordonnance judiciaire. En effet, ces ententes intervenaient bien souvent dans un contexte informel et en l'absence de professionnels pour compenser, même imparfaitement, le manque à gagner découlant des exigences de la *Loi de l'impôt sur le revenu.*

Par ailleurs, le cas le plus patent de l'impuissance du droit de la famille n'était-il pas le propre cas de Susan Thibaudeau où les montants accordés par l'ordonnance alimentaire n'étaient jamais parvenus à rectifier l'inégalité que la loi fiscale créait à son endroit ? Ce cas était loin d'être unique et contredisait radicalement l'idée selon laquelle le système du droit de la famille annihilait les effets discriminatoires de la *Loi de l'impôt sur le revenu.*

Le droit de la famille était donc un remède qui traitait les symptômes de l'inégalité sans aller à sa source. Et puis, l'obligation de recourir à un autre système pour compenser les effets d'un premier régime n'apportait-elle pas la preuve manifeste que ce régime avait besoin d'être corrigé ? Selon les juges L'Heureux-Dubé et McLachlin, le recours au droit de la famille, en plus de son caractère incertain, occasionnait des coûts importants qui pouvaient facilement excéder les bénéfices reliés à toute augmentation de la pension alimentaire. Il fallait comprendre les parents gardiens d'enfants qui ne voulaient pas s'enfoncer davantage dans un abîme financier. Sans compter les facteurs personnels tels que l'hostilité au moment de la rencontre en cour des ex-conjoints ainsi que l'humiliation que ceux-ci pouvaient ressentir lorsqu'ils avaient à « quémander de l'argent ».

En conclusion, l'inégalité était patente et prenait sa source dans la *Loi de l'impôt sur le revenu* alors que le droit de la famille, malgré ses objectifs, ne faisait que maintenir cette inégalité et le préjudice qu'elle causait.

Quant à la troisième étape de l'analyse du caractère discriminatoire de l'alinéa 56 (1)b), les Honorables juges L'Heureux-Dubé et McLachlin jugeaient toutes deux que ce préjudice causé aux parents gardiens d'enfants et fondé uniquement sur ce statut, portait atteinte à la dignité de la personne et à sa valeur personnelle, risquant également de nuire à son développement social ou économique. Les parents gardiens d'enfants, séparés ou divorcés, en tant que groupe, avaient été historiquement traités inéquitablement; leur statut, justement par rapport aux familles unies, et les difficultés reliées au régime monoparental devaient les faire reconnaître comme une minorité discrète et isolée. L'état de parent gardien d'enfants, séparé ou divorcé, était intrinsèquement relié à l'un des motifs énumérés au paragraphe 15 (1) de la *Charte canadienne des droits et libertés*, en l'occurrence le sexe, puisqu'il s'agissait en grande majorité de femmes. Contrairement à la majorité de la Cour suprême, les juges L'Heureux-Dubé et McLachlin croyaient que le maintien de l'imposition des pensions alimentaires était susceptible de perpétuer dans l'opinion publique l'idée que les parents gardiens d'enfants, séparés ou divorcés, ne méritaient pas la même reconnaissance ou la même valeur, en tant qu'êtres humains, que les autres personnes régies par la *Loi de l'impôt sur le revenu.* Selon les expertises produites, il était clair que la dissolution du couple provoquait généralement pour les parents gardiens d'enfants une descente aux enfers accélérée et qu'il y avait un appauvrissement important.

Les dispositions visées dans la *Loi de l'impôt sur le revenu* étaient donc discriminatoires de l'avis des juges dissidentes. Et même si ces dispositions et l'objectif qui y était recherché par le gouvernement étaient suffisamment importants pour justifier une atteinte à un droit constitutionnel, ils ne satisfaisaient pas aux critères de la proportionnalité exigés dans l'examen de l'article 1 de la *Charte canadienne des droits et libertés*; le lien existant entre le moyen préconisé par le législateur et l'objectif recherché était ténu. Par ailleurs, le régime d'inclusion-déduction ne minimisait pas raisonnablement l'atteinte au droit à l'égalité de Susan Thibaudeau et de ses semblables. D'autres moyens auraient pu être envisagés : un régime de déduction-non-inclusion, un régime d'inclusion-déduction optionnel ou de nature progressive, ou même la suppression totale du régime actuel.

Enfin, les effets préjudiciables découlant de ce régime n'étaient pas proportionnels aux avantages qu'il pouvait conférer. Un préjudice occasionné dans plus de 30 % des situations était inacceptable, sans compter tous les autres inconvénients causés par ce régime. De plus, le principe de fractionnement du régime d'inclusion-déduction aurait même pu montrer qu'on cherchait à améliorer la situation du parent non gardien au détriment de celle du parent gardien d'enfants.

Endiguer la pauvreté était un objectif urgent et réel, tous en convenaient et les moyens choisis pour atteindre cet objectif pouvaient en l'espèce être rationnellement cohérents avec le but visé. Le problème était que les moyens mis en place ne semblaient assurer qu'une amélioration de l'unité familiale démantelée (et encore dans 67 % des cas seulement) et qu'ils causaient un préjudice à un grand nombre de personnes.

Comme les statistiques prouvaient que les femmes et les enfants subissaient une diminution de 73 % de leur niveau de vie après la dissolution du couple alors que les hommes connaissaient pour leur part une hausse de 42 % du leur, on ne pouvait se permettre d'accepter la légitimité d'un régime qui maintenait cette situation et provoquait une incidence fiscale défavorable dans plus de 30 % des cas.

CHAPITRE 26

Promesses de politiciens

Tous nos efforts n'auront peut-être pas été vains. C'était désormais au tour de nos parlementaires enthousiastes de se lancer à corps perdu dans l'action, en commençant par une motion de félicitations déposée à l'Assemblée nationale le 25 mai 1995, quelques minutes après la diffusion du jugement de la Cour suprême du Canada. Suivant une tirade dithyrambique dont ils ont le secret, tous les élus se levèrent d'un bond pour saluer la détermination dont Susan Thibaudeau avait fait preuve tout au long de cette extraordinaire saga judiciaire. On ergota, on soupesa, on administra quelques commentaires bien placés de part et d'autre de la Chambre. Le président asséna même, à gauche et à droite, des « s'il vous plaît, s'il vous plaît, à l'ordre, à l'ordre », puis on se mit au travail. Et c'est là, dans ce palais ministériel, cet antre du pouvoir où l'on ne voit pas d'enfants qui ont faim, qui pleurent, qui tirent leurs parents par la manche et où les seuls problèmes qui existent sont des problèmes d'abondance, qu'on déclara solennellement, après avoir exprimé encore une fois l'admiration collective de la Chambre pour ce que Susan Thibaudeau avait accompli, que le gouvernement allait agir. On entendit même entre deux claquements de portes qu'il y avait une possibilité que la nouvelle loi sur la perception des pensions alimentaires soit adoptée avant l'été 1995. Peut-être aussi verrait-on la naissance d'un nouveau régime fiscal provincial où l'imposition des pensions alimentaires disparaîtrait. Qu'en est-il aujourd'hui de ces belles intentions, de ces vives émotions ?

Quant au fédéral, il avait gagné sa cause. Ses représentants ont, eux aussi, félicité chaudement Susan Thibaudeau pour sa démarche. À mon grand dam, je dois avouer que j'ai douté quand même un peu de la bonne foi de ces mécènes improvisés qui vantaient à ce moment-là celle qu'hier encore ils vilipendaient. Qui donc avait porté la cause devant la Cour suprême du Canada si ce n'étaient ces gaillards du fédéral, eux qui désormais, avec ostentation et l'émotion plein la figure, se félicitaient de pouvoir faire quelque chose pour les femmes ?

Les plus sceptiques soulèveront que même si les gouvernements avaient promis d'agir, il existait de bonnes chances qu'ils trébuchent sur les anciens rapports amoncelés et sur les nouvelles études annoncées. Bien sûr, quand il faut demander son opinion au ministre des Finances, au ministre du Revenu, à la ministre de la Condition féminine et au ministre de la Justice, et que ces vertueux personnages doivent ensuite rédiger un rapport et le soumettre au comité des priorités d'abord, puis au conseil des ministres, on peut raisonnablement penser que le seul rapport valable, en définitive, en sera un de force. D'autant plus qu'en matière de loi, la plupart de nos parlementaires s'intéressent beaucoup plus aux lois du moindre effort, de la jungle et du talion qu'à d'autres qui nous seraient plus utiles. Mais je ne voulais pas désespérer. J'avais, moi aussi, bon espoir de constater bientôt que les lois sont faites par des hommes et des femmes, pour des hommes et des femmes.

J'avoue que j'ai eu bien envie, à un moment donné, d'aller rejoindre ces marcheurs et ces marcheuses qui étaient parvenus le 4 juin 1995 devant l'Assemblée nationale du Québec et qui continuaient leur chemin, disséminés un peu partout à travers la foule, convaincus de la justesse de leur message d'amour et d'entraide. Oui, j'ai eu bien envie d'aller les rejoindre...

CHAPITRE 27

Conclusion pour les femmes et les hommes de bonne volonté

Le jugement rendu par la Cour suprême du Canada a fait couler beaucoup d'encre depuis sa sortie. Fondamentalement injuste, ce jugement met en cause plusieurs valeurs primordiales de notre société, comme le droit à l'égalité pour les femmes, la situation des familles monoparentales, la discrimination sous toutes ses formes, et même notre système de justice. À la Cour suprême du Canada, les opinions étaient partagées. Parmi tous ces magistrats respectés et éminemment compétents, un clivage s'est produit : deux femmes ont favorisé une application pratique et factuelle des incidences de la loi fiscale, alors que cinq hommes ont privilégié une étude rigoureuse et théorique des interactions juridiques. Depuis, les deux paliers de gouvernement se sont engagés à fond afin que disparaisse l'imposition des pensions alimentaires ; des mesures de perception automatique ont même été adoptées et mises en vigueur. Partout au pays, des femmes se prennent en main et demandent un meilleur régime social pour chacun.

Après avoir pris connaissance de la conclusion de cette affaire, comment ne pas s'inquiéter lorsque l'on nous présente tous les jours des images parfaites de politiciens bien au courant de leurs dossiers, d'hommes d'affaires au-dessus de tout soupçon alors qu'il n'en est souvent rien et que ce camouflage ne sert qu'à nous enliser davantage dans la passivité et sa sœur jumelle, la médiocrité ? Quand je pense à tous ces mercenaires du faux, ces amants de la supercherie et de la tromperie qui triturent la vérité et la manipulent selon leurs désirs et leurs intérêts personnels, quand je pense à tous ces gens qui font leur marque en bousculant les autres et en les piétinant, je ne peux retenir ma colère. Je pense à ces mêmes personnages qui, à un moment ou l'autre, ont prétendu respecter les femmes et se réjouir de les voir un jour vivre en toute égalité avec les hommes. Si le mensonge et la stupidité sont nuisibles, la fourberie est encore plus grave, elle. Voudrait-on, avec de belles paroles, entraîner les femmes dans des no man's land sans qu'elles aient la possibilité de réagir ?

Au fil de cette cause, j'ai perdu beaucoup d'illusions. Surtout ce jour où toute la presse rapporta les propos du ministre fédéral de la Justice, monsieur Allan Rock, relativement à l'imposition des pensions alimentaires. Le jeudi 7 novembre 1996, celui-ci plaidait, en effet, devant un parterre de bonzes politiques réunis à la Chambre des communes, la nécessité de réformer le système des pensions alimentaires et d'adopter les fameuses lignes directrices qui permettraient à l'avenir de mieux fixer le montant de ces pensions. Sur la même lancée, il déclara aussitôt que « désuet, le système de pension alimentaire actuel ne répond plus aux besoins du jour ». Je me souviens pourtant d'une époque où ce politicien n'était pas du même avis. Il prétendait plutôt le contraire, statistiques et avocats à l'appui. Comment un système pouvait-il être excellent la veille et pourri le lendemain ? Comment était-il possible d'utiliser deux messages si contradictoires, de monopoliser les tribunaux pendant tant d'années pour ensuite faire le minet devant l'électorat et les tribunes populaires ? À bien y penser, le ministre fédéral n'était pas le seul à agir de la sorte. J'en étais gêné pour certains de mes contemporains qui ressemblaient de plus en plus à des girouettes. Malhonnêteté ou repentir tardif ? Je laisse à d'autres le soin de répondre à cette question. Pour ma part, je me demandais bien comment tirer mes marrons du feu avec ces politiciens marrons.

Que penser aussi d'un premier ministre qui refuse d'admettre qu'il a promis d'abolir la taxe sur les produits et services (TPS) lors de sa dernière campagne électorale, qui se fait traiter de menteur par la majorité de la population canadienne ainsi que par la plupart des médias et qui soutient néanmoins n'avoir jamais pris un tel engagement ? Pourtant, en dépit de ses affirmations, sur plusieurs bandes vidéo on le voit proclamer, en faisant référence à la TPS : « Nous la détestons et nous allons la supprimer. » Comment comprendre un aveugle qui fait la sourde oreille ? Ajoutez à cela la démission, au mois de mai 1996, de la vice-première ministre, madame Sheila Copps, qui avait promis de partir si son gouvernement ne respectait pas son engagement d'abolir la taxe sur les produits et services de même que les excuses publiques présentées par le ministre des Finances sur le même sujet. Il y a de quoi en perdre son latin.

Notre ancien premier ministre du Canada, monsieur Brian Mulroney, aurait très certainement des commentaires à faire sur l'honnêteté de certains de nos dirigeants. En effet, on l'a d'abord accusé sans preuve d'avoir commis un délit criminel, pour s'excuser ensuite de cette affirmation qui n'était nullement prouvée et faire de nouveau volte-face en expliquant que ces mêmes excuses étaient une formalité.

Dénoncer de tels comportements uniquement pour contester, à mon avis, ça ne rime à rien, mais dénoncer pour faire éclater la vérité peut être utile aux générations futures.

Au mois de novembre 1996, le gouvernement n'avait plus les moyens de perdre de l'argent, c'est ce qu'on entendait du moins de la bouche de ses représentants. Il était donc, justement, très à propos de changer une loi désuète que la population contestait sans pour ce faire investir des sommes faramineuses pour amener cette affaire devant les plus hauts tribunaux du pays et s'enliser dans d'interminables procédures judiciaires durant six longues années. Pourquoi ne pas profiter de cette occasion pour récupérer du même coup cette économie de plusieurs millions de dollars engendrée par le régime d'inclusion-déduction et qu'on devait payer sous forme de déductions fiscales accordées aux parents payeurs de pensions alimentaires ? Le gouvernement changeait d'idée, pour ne pas dire de perception !

Il est grand temps pour les maîtres chanteurs de faire face à la musique, d'être plus attentifs, de prendre enfin leurs responsabilités envers les gens qu'ils représentent, surtout les femmes qui sont trop souvent encore laissées pour compte tant au plan des salaires qu'à celui de leur avancement professionnel ou de leur condition sociale. Au lieu de priver leurs électrices, les politiciens pourraient restreindre leurs propres dépenses : voitures de location, limousines ministérielles, personnel de soutien, frais d'hébergement, et cetera. Il y a aussi les salaires exorbitants de certains dirigeants, sans oublier les avantages sociaux, les augmentations de salaire périodiques, les primes de départ, d'arrivée, de retraite, de mérite et quoi encore. Il ne faut pas oublier non plus les conventions collectives blindées qui font passer les syndicats pour des organisations mafieuses ni les contrats de construction et de rénovation pour des hôpitaux où il y a pourtant de moins en moins de lits, sans compter les causes judiciaires comme celle de Susan Thibaudeau où l'on dépense allégrement pour ensuite changer d'idée.

Nous sommes, à mon avis, gérés par de bien petits gestionnaires, bureaucrates et technocrates de leur état, qui comptent leurs sous et les vôtres, mais font un mauvais calcul. Guidés par de grands principes d'administration appris à l'université (les mêmes qui les poussent à couper d'une main pour dépenser de l'autre), ils vident les poches des contribuables et multiplient au carré le nombre de familles pauvres. Des multiplications de soustractions qui amènent la division...

Oui, pendant ces cinq années de lutte acharnée, nous avons pu en voir de toutes les couleurs. Nos victoires étaient portées aux nues par nos adversaires (devant les médias) tandis que nos défaites les confortaient dans leurs convictions profondes et faisaient en sorte qu'ils s'acharnaient de plus belle par la suite. J'ai bien envie de leur dire de ne pas prendre les électeurs pour des imbéciles.

Ceux qui racontent des fables ne sont plus crédibles. Ils sont tombés sur un os, comme ils auraient dû s'y attendre, et doivent désormais tourner la page sur leur manque de jugement. Les affirmations gratuites ne paient jamais à long terme. Tous les gens honnêtes, qui ont à cœur les valeurs de vérité et d'égalité, en ont soupé de cette iniquité et de ces contre-vérités. Ils en ont assez que les femmes qui réclament un meilleur sort soient taxées d'à peu près tous les travers, quand on ne les pénalise pas fiscalement tout simplement.

Ayant côtoyé cette réalité chaque jour dans le cadre de l'affaire Susan Thibaudeau, je peux affirmer qu'en plus de l'indifférence de certains bien-pensants, les mensonges ont été légion tout au long du débat sur cette cause. Parce que c'était correct de dire certaines choses à ce moment-là, parce que c'était correct pour l'image des personnes concernées de clamer haut et fort que les femmes avaient droit à la justice, on prétendait souhaiter depuis longtemps des changements à la loi en ce qui concernait les pensions alimentaires alors qu'on ne s'était jamais soucié à ce jour des difficultés inhérentes à celles-ci et de bien d'autres problèmes tout aussi urgents.

La conclusion de cette affaire est inquiétante. Oui, les femmes refusent d'être appelées « bénéficiaires » de pensions alimentaires alors qu'elles n'en retirent souvent aucun bénéfice. Elles préfèrent de beaucoup le terme de « receveur » : comme celles qui, au baseball, reçoivent une balle filant à 160 kilomètres à l'heure et qui dévie juste avant de leur parvenir. Tout un effet de surprise ! C'est pourquoi, dans les dictionnaires de demain, il ne faudra plus parler de « bénéficiaire » de pension alimentaire mais bien de «*catcher*», car les femmes ont compris ; elles ont compris qu'à part l'impôt additionnel, elles ne recevaient rien et qu'il s'agissait, dans la grande majorité des cas, d'un cadeau empoisonné.

Leur colère est légitime. Chaque démarche est importante pour l'avancement de leur cause ; chaque échec est donc un pas en arrière. Toutes leurs revendications, si modestes soient-elles, permettent aux femmes d'acquérir peu à peu leur droit à l'autonomie et à la liberté. En effet, au quotidien, celles-ci doivent encore se battre pour les postes qu'elles revendiquent, les salaires qui leur sont accordés, les droits qu'elles ne veulent pas perdre, et cetera. Comme nous l'avons constaté tout au long de cette saga, elles doivent même souvent se battre afin qu'on ne leur enlève pas le peu qu'elles ont pour subsister avec leurs enfants et le peu de justice qu'elles ont acquis au prix d'efforts inimaginables. Rappelons qu'ici même au Canada, voilà seulement quelques années, les femmes ne pouvaient signer de chèque ou faire un emprunt bancaire sans la signature de leur mari, qu'elles ne pouvaient participer aux affaires de la vie civile, ni voter, et cetera.

Rien n'est parfait, concluront d'aucuns, et ils voient d'un mauvais œil que des milliers de femmes réclament la parité salariale, de meilleures conditions de travail, une reconnaissance égale dans des postes de direction et un tas d'autres revendications qui les agacent souverainement. Pourquoi se plaignent-elles autant, entend-on alors? L'histoire ne leur démontre-t-elle pas que leur situation a évolué depuis quelques décennies? Et puis ici, au Canada, on ne pratique pas l'excision! Bien sûr, on coupe aussi, mais ce n'est que dans le revenu...

N'y a-t-il que les femmes qui doivent faire les frais des désordres sociaux et de l'éclatement des familles? Non! Il faut désormais s'adapter et s'organiser afin que les membres de ces familles disloquées puissent vivre dans les meilleures conditions possibles sans qu'il y ait de perdants. Il est aussi grand temps pour les hommes de se responsabiliser face à leur rôle de père. Pour un qui assume ses responsabilités, tant financièrement qu'émotivement, combien d'autres laissent toute la responsabilité d'éduquer leurs enfants à leur ex-conjointe?

Maintenant, on peut comprendre pourquoi on appelle les personnes séparées ou divorcées qui ont la garde de leurs enfants « chefs de familles monoparentales ». Les enfants de ces familles n'ont-ils pas pourtant, dans la majorité des cas, deux parents ? Ces mots, à mon avis, et fort malheureusement, désignent bien la situation que plusieurs vivent. Si un seul parent prend toute la responsabilité d'éduquer les enfants issus d'une union sans que l'autre intervienne, il s'agit bel et bien de famille monoparentale et nul ne peut tirer fierté de ce fait. Nul ne peut nier non plus que la majorité de ces chefs de familles monoparentales sont les mères.

Croit-on vraiment que la femme d'aujourd'hui peut accepter tout ce qu'on lui fait subir ? Le plus drôle dans toute cette désinformation politique, dans toute cette saga que j'ai racontée dans ces pages, c'est d'entendre de toutes parts ce concert d'éloges, ce chant homérique à la gloire des femmes. Lorsque nous pourrons constater que des efforts sont vraiment faits par nos dirigeants afin d'améliorer leur sort, il sera alors temps de s'en vanter, mais pas avant. Pour ma part, je continue...

CHAPITRE 28

Les suites de l'affaire Thibaudeau : un nouveau système de pensions alimentaires pour enfants

Le 6 mars 1996, Paul Martin, ministre fédéral des Finances, décidait, après avoir sabré ces dernières années dans les programmes sociaux et dégarni la fonction publique de près de 45 000 postes, de s'attaquer aussi aux avantages fiscaux qui contribuaient à améliorer la qualité de vie des plus riches. Dans ce nouveau budget version 1996, le ministre Martin, même s'il épargnait aux particuliers et aux entreprises une hausse des impôts et des taxes, mettait fin à l'universalité des pensions de vieillesse, fixait un plafond de 13 500 $ aux cotisations à un R.E.É.R. jusqu'en l'an 2003, éliminait la limite de sept ans permise pour rattraper les années de cotisation à ces mêmes R.E.É.R., sabrait dans les avantages fiscaux consentis aux sociétés à capital de risque des travailleurs et instituait notamment de nouveaux programmes d'emplois pour les jeunes en y injectant 315 millions de dollars, dont 120 millions devaient être consacrés exclusivement à la création d'emplois d'été.

Il était également question, dans ce budget, de la réduction constante du déficit national (l'objectif étant d'équilibrer les comptes), de la stabilisation à 25,1 milliards de dollars pendant trois ans des paiements de transferts sociaux aux provinces, ainsi que de compressions importantes de l'ordre de 1,9 milliard de dollars visant diverses opérations gouvernementales dont la défense (800 millions) et l'aide internationale (150 millions).

Toutefois, le plus beau restait à venir : certes, pour les milliers de femmes dans la même situation que Susan Thibaudeau, il était intéressant d'apprendre qu'on ne leur imposerait cette année-là aucune hausse d'impôt ni de taxes et que le déficit passerait de 32,7 milliards en 1996 à 17 milliards pour les années 1997 et 1998. Mais le plus important pour ces milliers de Canadiennes confrontées chaque jour à des problèmes d'argent, c'était de savoir que les pensions alimentaires qu'elles recevaient pour leurs enfants allaient être exemptées de l'impôt qu'elles auraient à payer après le 1er mai 1997, tandis qu'était éliminée la déduction qui était jusque-là permise pour le parent payeur.

Ce fut, il faut l'admettre, une sacrée nouvelle, même si nous nous y attendions un peu à la suite des promesses formulées par nos élus après le jugement de la Cour suprême rendu le 25 mai 1995. Je ne suis pas de ceux, en effet, qui ne croient pas à la parole donnée, surtout lorsqu'elle nous vient de nos représentants qui sont grassement payés pour défendre les intérêts des contribuables et respecter leur engagement politique. Cela dit en toute ironie évidemment.

J'entends déjà certains me glisser à l'oreille que seul le gouvernement fédéral a, à ce jour, décrété une telle mesure et que le gouvernement du Québec, à part quelques vagues promesses et une motion de félicitations lue à l'Assemblée nationale à la suite du jugement Thibaudeau, n'a pas encore amendé la loi fiscale en ce sens. C'est vrai, mais les motions de félicitations doivent bien servir à quelque chose et puis, même des ministres provinciaux québécois ont dit, le soir du 6 mars 1996, que ce changement à la loi n'était qu'une formalité et que de nouvelles mesures fiscales prônant la disparition du régime d'inclusion-déduction allaient être adoptées et mises en vigueur incessamment. Pourquoi douter dans les circonstances ?

D'autres observateurs, moins idéalistes et beaucoup plus pragmatiques, pourraient s'insurger contre cette volte-face du gouvernement fédéral qui, après s'être battu contre Susan Thibaudeau et ses avocats pendant près de cinq années (aux frais des contribuables, il va sans dire), a décidé soudainement de modifier sa loi et d'accorder aux femmes canadiennes une grande partie des revendications qu'elles formulaient. Pourquoi, en effet, s'entêter et poursuivre la partie adverse jusque dans ses derniers retranchements alors qu'il aurait été si facile de réviser cette iniquité par voie législative au tout début de ce combat judiciaire ou même, dans le pire des cas, après le jugement rendu par la Cour d'appel fédérale qui accueillait le recours de Susan Thibaudeau en déclarant discriminatoire et injuste le régime d'inclusion-déduction ?

En somme, même s'il peut paraître aberrant de voir un gouvernement contester âprement les arguments d'une contribuable pendant plusieurs années pour ensuite lui donner raison, il existe néanmoins une certaine logique dans le fait de retarder la date fatidique pour ensuite faire mine de « crouler » sous la pression populaire et récupérer du même coup un peu de capital politique au moment opportun. Surtout que le budget Martin permettait au gouvernement de mettre la main sur les quelque 250 millions de dollars dont bénéficiaient jusque-là, en grande majorité, les pères payeurs de pensions alimentaires.

À choisir, et sachant pertinemment à la lumière de toutes les statistiques et des documents examinés, que cette économie d'impôt donnée aux pères n'était pas, en pratique, redistribuée équitablement et qu'elle n'était généralement pas récupérée par les mères et les enfants qu'elle devait favoriser, j'aime encore mieux voir le gouvernement empocher cette économie tout en laissant croire à tous qu'il le fait pour le bien commun. Surtout qu'il a promis d'utiliser ces économies pour augmenter le supplément au revenu qui est versé aux parents qui gagnent moins de 25 921 $ par année et favoriser l'aide aux familles monoparentales.

En fait, le supplément consenti aux parents à faible revenu dans le cadre du programme « Supplément de revenu gagné » (SRG) doublera, passant de 500 $ à 750 $ en juillet 1997 et à 1000 $ en 1998. De plus, une campagne d'information se fera au coût d'environ 4 millions de dollars et servira à modifier les attitudes en matière de paiement de pensions alimentaires de 1997 à 2002 dans tout le Canada.

On peut donc espérer que les ex-conjoints, parents et gardiens d'enfants, qui sont en grande majorité des femmes, pourront toucher à quelques écus de cette économie d'impôt transférée au gouvernement, ce qui était de toute façon impensable avant le 1er mai 1997.

Depuis le 1er mai 1997, la pension alimentaire pour enfants (PAPE), versée conformément à un accord écrit ou à un jugement d'un tribunal rendu le 1er mai 1997 ou après, n'est plus imposable pour celui qui la reçoit, ni déductible pour le payeur. En corollaire, les PAPE découlant d'un accord écrit ou d'un jugement d'un tribunal antérieur au 1er mai 1997 demeurent incluses dans le revenu de l'ex-conjoint qui reçoit cette pension et peuvent toujours être déduites du revenu du parent payeur.

L'ancien régime est donc resté en vigueur jusqu'au 1er mai 1997, même s'il existait certaines exceptions à cette règle du maintien. Ces exceptions étaient les suivantes : l'ancien régime était écarté si un choix conjoint du payeur et de celui qui recevait la pension alimentaire était produit auprès de Revenu Canada pour que le nouveau régime s'applique aux parties à compter d'une date déterminée qui ne pouvait cependant être antérieure au 1er mai 1997. En d'autres termes, les gens qui étaient régis par l'ancienne loi pouvaient décider d'un commun accord de se soumettre au nouveau régime après cette date. L'ancien régime pouvait également être écarté si l'accord ou l'ordonnance en vigueur, et qui régissait les parties, était modifié après le 30 avril 1997 afin de réviser le montant de la pension alimentaire payable aux enfants. Enfin, les parties pouvaient produire un accord qui prévoyait que le payeur ne déduirait pas de son revenu la pension alimentaire payable pour les enfants et que celui qui la recevait n'inclurait pas cette somme dans sa déclaration des revenus et ce, à compter d'une date déterminée qui ne pouvait être antérieure au 1er mai 1997.

Il est également important de noter que les parties qui ont opté pour le nouveau régime fiscal des PAPE ou qui sont régies par la nouvelle loi depuis le 1er mai 1997, ne peuvent plus appliquer les anciennes règles. Du même souffle, pourquoi ne pas préciser aussi que les pensions alimentaires qui sont versées pour le bénéfice des conjoints ne sont pas modifiées et qu'elles demeurent, lorsqu'elles sont versées périodiquement, conformément à un accord écrit ou au jugement d'un tribunal, imposables pour ceux qui les reçoivent et déductibles pour les payeurs.

Qu'adviendra-t-il lorsqu'un accord écrit ou un jugement ne précisera pas qu'une pension alimentaire est accordée pour le bénéfice exclusif du conjoint? La nouvelle loi prévoit que ce cas devra être assimilé à une pension alimentaire payable pour le bénéfice des enfants et qu'il sera conséquemment assujetti aux nouvelles dispositions de la loi. De la même façon, les paiements de pensions alimentaires payables aux enfants et au conjoint seront d'abord considérés comme des paiements à titre de PAPE lorsqu'ils seront inférieurs aux paiements prévus à l'accord écrit ou au jugement du tribunal. Par conséquent, ils ne seront imposables et déductibles que lorsque tous les montants de la PAPE seront payés.

Évidemment, Susan Thibaudeau et ses pairs auraient préféré que ce nouveau régime, qui annihile les retombées du régime d'inclusion-déduction, soit rétroactif et puisse réparer, du moins partiellement, les nombreuses iniquités qui ont été causées par la loi fiscale ces dernières années. Mais le législateur en a décidé autrement. Faut-il déplorer que plusieurs personnes, dont le cas a déjà été réglé, ne puissent bénéficier de la nouvelle loi, sauf exception? Sûrement! Mais entre deux maux, il faut choisir le moindre et si on ne peut réparer toutes les injustices d'un seul coup, du moins le futur s'annonce-t-il plus prometteur.

Si la nouvelle loi constitue une amélioration, que penser des récriminations qui foisonnent actuellement et qui semblent mettre des bémols sur les avantages que crée le nouveau régime?

Le premier argument contre les nouvelles dispositions contenues dans la loi fiscale est brandi, curieusement, par un groupe de femmes qui conteste et déplore la non-rétroactivité de ces dispositions. Comme je l'ai déjà mentionné, je crois, moi aussi, qu'il aurait été préférable de réparer les injustices du passé causées par une loi qu'on reconnaît aujourd'hui implicitement ou expressément discriminatoire ; mais « un tiens vaut mieux que deux tu l'auras ». Il faut quand même admettre que nous avons fait un grand pas en avant. D'ailleurs, le 21 décembre 1996, les médias annonçaient qu'un nouveau recours collectif qui reprenait substantiellement les mêmes éléments de faits et de droit contenus dans l'affaire Thibaudeau, était sur le point d'être institué pour obtenir cette rétroactivité et ainsi faire en sorte que les avantages de la nouvelle loi profitent également aux couples qui étaient déjà séparés ou divorcés avant son adoption.

Le second argument est évidemment formulé par les payeurs de pensions alimentaires qui ont une vision apocalyptique du nouveau régime et qui proclament, honnêtement ou de mauvaise foi, que la disparition du régime d'inclusion-déduction entraînera pour les parties et leurs enfants les pires calamités.

Certains pourraient trouver curieux qu'ils se préoccupent aujourd'hui de l'intérêt de leurs enfants alors que les statistiques prouvent que plus de la moitié de ces payeurs ne respectent même pas les ordonnances qui les enjoignent de payer une pension alimentaire pour leur progéniture. Cependant, une telle réplique, bien qu'elle soit vérifiable et vérifiée, n'est pas susceptible de rapprocher les parties et de favoriser la concertation. Je me contenterai donc de répondre point par point à ce second argument en invoquant des faits et des chiffres.

Selon les payeurs de pensions alimentaires, le premier problème causé par le nouveau régime vient de ce qu'il retire aux couples séparés ou divorcés l'économie d'impôt de 250 millions de dollars que permettait le régime d'inclusion-déduction. Selon eux, c'est ce même gouvernement qui bénéficie d'une telle économie puisqu'il a modifié sa loi et qu'il dispose donc des sommes qui étaient jusque-là accordées pour le bénéfice des familles séparées ou divorcées.

Je pense qu'il est aisé de réfuter cet argument : s'ils avaient plaidé ce dossier comme je l'ai fait pendant tant d'années, ils sauraient aujourd'hui, statistiques et documents à l'appui, que cette économie d'impôt avantageait 67 % des couples séparés ou divorcés par rapport à d'autres couples. Il faut donc souligner que le régime n'avantageait quand même pas 33 % des couples qui, eux, ne touchaient jamais un sou de cette économie d'impôt. Plus grave encore, cette économie d'impôt n'était pas distribuée équitablement entre les ex-conjoints. En d'autres mots, seules les femmes ayant des revenus très bas ou dont l'ex-conjoint touchait un revenu très élevé, pouvaient bénéficier de l'économie réalisée.

Alors, ne me parlez plus de cette économie d'impôt magistrale qui favorisait plutôt, en majorité, des hommes payeurs de pensions alimentaires. Cela dit, et pour les raisons exprimées, je comprends qu'ils veuillent invoquer aujourd'hui cet argument.

Aux dires de certains, la nouvelle loi risque d'entraîner une foule de procédures judiciaires qui obligeront les femmes à assumer des frais juridiques importants qui entraîneront nécessairement une baisse de leur revenu. J'entends déjà certains détracteurs se réjouir à l'avance du sort qu'ils imaginent réservé à ces revendicatrices qui découvriront bientôt, selon eux, le résultat de leurs efforts et à qui on ne permettra pas de se repentir.

Cependant, ces mêmes détracteurs ne considèrent pas que même lorsque l'incidence fiscale était parfaitement réalisée, ce qui représentait un faible pourcentage des cas, la femme était obligatoirement désignée comme une gestionnaire non rémunérée de l'État à qui elle devait payer systématiquement l'impôt sans faire aucune erreur dans l'élaboration de son budget. C'était beaucoup trop demander ! Les femmes payaient déjà, pour la très grande majorité, de l'impôt supplémentaire à cause du régime d'inclusion-déduction et elles puisaient déjà très largement dans leurs économies afin de minimiser les conséquences de ce régime. Je ne crois donc pas que le fait d'aller une dernière fois en cour (dans le cas d'ex-conjoints qui ne s'entendent pas) dans le but de faire fixer clairement leurs pensions alimentaires à l'aide des tables directrices qui ont été produites par le gouvernement, leur cause un grand préjudice. Bien au contraire, à mon avis, ces lignes directrices aideront désormais les parties à circonscrire le débat et à limiter les frais de cour. Les ex-conjoints pourraient même s'entendre pour fixer le montant de la nouvelle pension alimentaire à partir de ces nouvelles données sans l'aide de quiconque. De toute manière, si on fait le calcul de ce que ces femmes payaient et de ce qu'elles paient encore, en comparaison de ce qu'elles devront payer dans le cadre du nouveau régime, elles ne pourront qu'être avantagées, n'en déplaise à ceux qui prétendent le contraire.

Souvent, certains affirment aussi que les dispositions décriées étaient adéquates et qu'il aurait été préférable de procéder à certaines modifications du droit de la famille pour s'assurer que l'incidence fiscale est bien comptabilisée. Mais c'est encore une fois faire fi de la réalité puisque notre jurisprudence est remplie de jugements rendus par la Cour d'appel qui devait reprendre des décisions de la Cour supérieure relativement à la fixation des pensions alimentaires et à leurs incidences fiscales. Il est à noter que cette conscientisation des tribunaux est toute récente puisqu'on ne s'attardait pas à l'importance de l'incidence fiscale voilà seulement quelques années. Il y a évidemment une amélioration notable mais insuffisante, comme le révèlent les jugements rendus par la Cour d'appel. L'obligation d'en référer à un système parallèle, en l'occurrence le droit de la famille, pour pallier les conséquences de la loi fiscale, n'était-elle pas justement la preuve que cette même loi comportait des lacunes ? Lorsqu'on sait que le gouvernement lui-même propose dans sa nouvelle loi des lignes directrices et que le comité du droit de la famille, qu'il a formé, a conclu que la méthode utilisée pour fixer le montant des PAPE était subjective, arbitraire et inéquitable, eh bien, cela ne signifie-t-il pas que le régime ne fonctionnait pas ? Le gouvernement incorporera des lignes directrices sur les PAPE à la *Loi sur le divorce* et celles-ci s'appliqueront dorénavant lorsqu'une ordonnance sera rendue dans une cause de divorce. Le gouvernement fédéral travaillera même de concert avec les provinces afin de les inciter à adopter ces lignes directrices dans leurs champs de compétence respectifs. Les coûts inhérents à l'instauration de ces changements seront financés en partie à même les économies d'impôt réalisées et récupérées par le gouvernement fédéral. Ces économies serviront aussi à améliorer la situation économique des enfants, à instaurer de nouvelles mesures d'exécution et de perception des pensions alimentaires et enfin à implanter des mesures favorisant économiquement les familles monoparentales.

Un autre argument de contestation invoquerait la possible disparition, par suite de l'avènement du nouveau régime, des allocations qui sont déjà dévolues aux parents gardiens d'enfants. Il n'est pas nécessaire d'argumenter longtemps sur ce sujet, étant donné que ces paiements sont le plus souvent faits pour des raisons bien précises, sans relation aucune avec l'imposition. À titre d'exemple, le montant équivalent pour conjoint, qui était destiné, avant l'adoption de la nouvelle loi, aux chefs de familles monoparentales ayant un enfant de moins de dix-huit ans, est également accordé en vertu des nouvelles règles et est même conforme aux nouvelles lignes directrices fédérales sur les PAPE.

Les récalcitrants arguent encore que les désavantages qui seront causés aux payeurs de pensions alimentaires, par le nouveau régime, les entraîneront dans un gouffre financier et les contraindront à ne pas respecter leurs obligations alimentaires. De méchantes langues répondraient qu'il ne s'agirait pas là d'un grand changement puisque la réalité démontre que plus de la moitié de ces payeurs ne respectent déjà pas leurs obligations. D'autres insisteront plutôt sur l'obligation morale qu'ont tous les parents de privilégier l'intérêt de leurs enfants. Avec plus de mordant, ils pourront même affirmer que le gouvernement fédéral suspendra (à la demande d'un organisme provincial d'exécution des ordonnances alimentaires) les permis, privilèges et certificats visés (passeports et certificats d'aviation et de marine) appartenant à un débiteur qui aura manqué à ses obligations alimentaires au cours de trois mois consécutifs ou qui aura accumulé des arrérages de l'ordre de 3 000 $. Il s'agit évidemment d'une mesure de dernier recours puisque d'autres mesures d'exécution devront être préalablement mises en place. Ces procédures réunies risquent d'être fort efficaces et elles pousseront certainement plusieurs à réfléchir sur leur rôle de parent.

Dans la nouvelle loi, il est également prévu d'ajouter Revenu Canada à la liste des ministères fédéraux dont les banques de données peuvent être scrutées à la demande d'organismes provinciaux d'exécution pour trouver des renseignements relatifs aux adresses personnelles, aux noms et adresses d'employeurs, et cetera. On pourra ainsi retrouver facilement les débiteurs défaillants. La loi a été aussi modifiée de manière à permettre la saisie des prestations de retraite fédérales.

D'autres programmes encore sont envisagés afin de favoriser une meilleure exécution des ordonnances alimentaires et d'aider certaines personnes à comprendre que, même si elles n'ont pas la garde de leurs enfants, elles conservent néanmoins certaines obligations en vertu de leur statut de parent. Que l'on parle de modifications proposées à la *Loi sur la faillite* pour donner une priorité aux réclamations pour pensions alimentaires, d'une campagne nationale de sensibilisation du public, d'une aide financière importante favorisant une exécution plus rigoureuse des projets gouvernementaux, de la création d'un nouveau poste de directeur fédéral de l'exécution des ordonnances alimentaires au ministère de la Justice, d'une amélioration des programmes d'exécution fédéraux et provinciaux, de procédures rationalisées de saisie-arrêt des paiements fédéraux, de l'implantation et du développement d'une banque de données statistiques ainsi que de divers autres programmes, la conclusion est inévitable : l'argument invoqué au soutien du non-respect du paiement des pensions alimentaires ne fera plus le poids face à la volonté de tous les intervenants de comprendre le problème des familles éclatées et de favoriser l'intérêt des enfants. Aujourd'hui encore, la moitié des pensions alimentaires ayant fait l'objet d'une ordonnance d'un tribunal demeurent impayées. Le quart seulement de ces pensions sont payées en totalité et un autre quart n'est payé qu'occasionnellement ou partiellement.

La conclusion qui s'impose est que le budget Martin a corrigé, du moins partiellement, l'injustice dénoncée jusqu'en Cour suprême du Canada par Susan Thibaudeau et ses avocats. « Ce système était mauvais », comme l'a lui-même reconnu le ministre des Finances. Il aurait fallu qu'on le sache avant, mais mieux vaut tard que jamais... L'avenir s'annonce donc prometteur. Quant aux 350 000 ordonnances alimentaires actuellement en vigueur, il est vrai que certaines d'entre elles pourraient être modifiées, mais les coûts et les désavantages que cela comporte ne seront jamais aussi importants que ceux causés par l'ancien régime. Ceux qui ne sont pas encore convaincus devront s'efforcer de privilégier les faits et les chiffres au lieu d'hypothèses farfelues et se souvenir surtout qu'un conjoint dont le revenu annuel brut est de 50 000 $ devra désormais payer une pension mensuelle de 392 $ pour un enfant et de 631 $ pour deux enfants au Québec. C'est, de toute évidence, plus simple.

Aux dernières nouvelles, le gouvernement du Québec, suivant l'exemple d'Ottawa, promettait de cesser d'imposer ceux qui reçoivent des pensions alimentaires et de verser les déductions correspondantes. Pour mon associé, Maître Bernier, et moi-même, ce fut une vraie musique que d'entendre enfin le ministre des Finances déclarer que « ces pensions doivent servir aux besoins des enfants puisqu'elles ne constituent pas un revenu pour les parents ». Il est vrai que cette musique nous a semblé quelque peu discordante dans la mesure où le gouvernement fédéral avait plaidé avec acharnement pendant des années que ces pensions alimentaires constituaient justement un revenu imposable pour les parents qui les recevaient, mais l'important était le résultat obtenu.

Ce nouveau système, qui est plus juste, plus cohérent et plus simple, ne risque pas d'être trop coercitif. En effet, les lignes directrices ne sont pas immuables et des réajustements sont possibles dans quatre cas de frais extraordinaires liés aux besoins des enfants, soit les frais de garderie pour les enfants qui ne fréquentent pas l'école à temps plein, les frais médicaux non assurés au-delà de 200 $ par année, les frais de scolarité pour les besoins spéciaux de l'enfant et les frais engagés pour les activités parascolaires permettant à l'enfant de développer un intérêt ou un talent particulier. Les contraintes excessives du payeur, par exemple s'il est très endetté, pourront être également considérées dans la fixation de la pension alimentaire. Par contre, l'âge de l'enfant et le revenu de celui qui reçoit la pension ne constituent plus un critère d'application, ce qui pourrait soulever quelques bonnes controverses dans l'avenir.

Quant au dernier argument selon lequel les principaux bénéficiaires de ce nouveau régime seront les disciples de Thémis, pour lesquels cette réforme érigerait un véritable pont d'or selon certains, je préfère laisser dire et préciser simplement que les instigateurs de toute cette démarche judiciaire avaient comme principale motivation de plaider un argument de droit, qui a finalement favorisé l'égalité des membres d'une même société et l'amélioration de la qualité de vie des familles. C'est tout dire ! Le reste, c'est de la petite rhétorique.

Malgré toutes ces inquiétudes, il nous faut réaliser que nos lois sont là pour régir nos sociétés et qu'elles évoluent avec elles. Nous pouvons, en effet, constater quotidiennement que les nouvelles controverses reliées à l'avortement, à l'euthanasie, à l'homosexualité et aux familles monoparentales par exemple, suscitent une réflexion sérieuse de la part des tribunaux. Au sein de la magistrature, si souvent et malheureusement décriée, des hommes et des femmes travaillent inlassablement pour le mieux-être de la population.

Il faudrait s'attaquer maintenant à la parité dans l'emploi, à l'équité salariale et implanter bientôt d'autres mesures visant à réparer les injustices commises au cours des dernières générations. Il faut cependant reconnaître que notre *Charte canadienne des droits et libertés*, à l'instar de la Charte québécoise, complique joliment la vie de nos parlementaires. Les politiciens doivent, en effet, composer avec les tribunaux qui auront à sanctionner leurs décisions. Ce n'est pas toujours chose facile. Je pense par exemple à la *Loi facilitant le paiement des pensions alimentaires* qui est entrée en vigueur le 1er décembre 1995 ainsi qu'à la *Loi instaurant l'équité salariale au Québec* adoptée en grande pompe au mois de novembre 1996 par 88 voix contre aucune à l'Assemblée nationale du Québec (Le projet de loi 35 prévoit qu'une partie est en vigueur depuis le 21 novembre 1996 et que l'autre le deviendra le 21 novembre 1997.) Quel sort leur réservent les tribunaux ?

Dans la pratique, il est vrai que ces deux lois ne sont pas parfaites : la première provoque des retards importants dans la perception des pensions alimentaires, les fonctionnaires n'ayant jamais soupçonné l'ampleur du problème et le nombre de données qu'ils auraient à traiter ; la seconde est le fruit de longues négociations et de jeux de coulisses entre le patronat, les associations de femmes et de travailleuses et le gouvernement québécois. Il s'agit, dans ce second cas, d'une loi hybride qui fait difficilement consensus et traîne plusieurs insatisfaits dans sa foulée. Mais il faut tout de même éviter de tout rejeter en bloc.

Ces lois représentent, indéniablement, de nettes améliorations, surtout pour les femmes, et je crois qu'elles ne viennent pas en opposition avec les dispositions reconnues par nos chartes ; elles sont l'expression d'une volonté commune de remédier à certains problèmes. Dans cette veine, il n'y a pas que les parlementaires qui doivent faire attention aux tribunaux lorsqu'ils votent des lois. Les tribunaux doivent également être le reflet de notre société et constituer un rempart ultime contre les abus de toutes sortes.

Recueillant des commentaires, j'ai entendu certains dire que ces nouvelles lois ne passeraient pas la rampe. Avec un pessimisme touchant, ces mêmes gens m'assénaient un coup fatal en proclamant avec sincérité que ces lois étaient un autre cadeau de Grecs de nos gouvernements à leurs têtes de Turc préférées.

Incontestablement, la *Loi facilitant le paiement des pensions alimentaires*, la *Loi instaurant l'équité salariale au Québec*, la disparition du régime d'inclusion-déduction et des règles fiscales fédérales afférentes, l'amélioration du financement des services ainsi que la hausse des salaires pour les travailleuses en garderie sont autant de pas en avant pour les femmes. Cependant, il reste encore beaucoup de chemin à parcourir. Il faut espérer que cette autre marche que les Canadiennes ont organisée dans le but de protester contre la pauvreté constituera une étape de plus vers l'autonomie et la liberté.

CHAPITRE 29

La marche « Du pain et des roses »

Après le jugement de la Cour suprême du Canada et cette gigantesque marche placée sous le thème « Du pain et des roses » organisée en 1995 par la Fédération des femmes du Québec, les choses ont commencé à bouger.

Le 30 mai 1996, par exemple, quelques semaines à peine après le dépôt du budget fédéral et la décision de faire disparaître le régime d'inclusion-déduction relié aux pensions alimentaires pour enfants, notre ministre de la Justice, Allan Rock, déposait le projet de loi C-41 visant à modifier la *Loi sur le divorce*, afin que celle-ci prévoie des lignes directrices à propos du montant des ordonnances alimentaires rendues pour le bénéfice des enfants.

La disparition du régime d'inclusion-déduction et ces nouvelles tables directrices représentent un progrès considérable. Il faut comprendre que la part du revenu réservée à la pension alimentaire de l'enfant varie désormais en fonction du revenu du parent non gardien d'enfants et du nombre d'enfants en cause. Cette part du revenu est présentée pour chaque situation sous forme de tableaux semblables à des tables d'impôts et comprend les taux provinciaux d'impôt afin de ne pas créer d'iniquité. Enfin, comme les frais liés aux soins des enfants ne sont plus fixes et que la pension est payable en fonction du seul revenu du parent non gardien et du nombre d'enfants concernés, le revenu du parent gardien d'enfants ne compte donc plus dans l'évaluation de cette pension. C'est une amélioration notable.

Malgré ce pas en avant, il faut encore une fois constater que nous accusons un retard sérieux sur nos voisins américains qui utilisent déjà ce système de tables directrices dans plusieurs États. Mieux vaut tard que jamais ! Ces lignes directrices qui fixent d'abord les coûts liés à l'entretien et à l'éducation des enfants et répartissent ensuite ces coûts entre les parents, s'avèrent importantes pour assurer l'efficacité du nouveau système fiscal adopté par le gouvernement canadien. Ces coûts et ces calculs sont basés sur certains modèles familiaux de niveaux de vie utilisés par Statistique Canada. Lorsque je vous disais que ces statistiques allaient bien servir à quelque chose un jour ! C'est curieux tout de même qu'on ait réussi à trouver de bonnes statistiques dans cette mer de données qui avait surtout servi jusque-là à nier la réalité.

Si l'affaire Susan Thibaudeau et la marche « Du pain et des roses » ont incité le gouvernement fédéral à gommer le régime d'inclusion-déduction et à instaurer de nouvelles lignes directrices pour la fixation des pensions alimentaires, les résultats ne sont pas aussi fabuleux en ce qui a trait à l'équité salariale revendiquée par les femmes à l'heure actuelle. En effet, le projet de loi instaurant l'équité salariale qui avait été déposé par le gouvernement du Québec le 15 mai 1996 s'est dilué peu à peu avec le temps. On a même reporté son étude en commission parlementaire la veille du rassemblement de milliers de Québécoises qui a eu lieu devant l'Assemblée nationale les 1er et 2 juin 1996. Les gens d'affaires n'étaient apparemment pas d'accord ; pas avec le report, mais avec l'équité ! Et ce n'est certes pas un mince écart de 30 % entre le salaire des hommes et celui des femmes qui travaillent à temps plein toute l'année, qui les empêchera de dormir...

Pour ma part, j'étais présent lors de ce grand rassemblement qui a eu lieu en juin 1996. Accueilli comme un ami par les membres féminins de la « garnison numéro 8 » qui assuraient la sécurité près du parlement, je fus le témoin privilégié de cette rencontre entre des femmes venues de partout au Québec afin de revendiquer un plus juste partage des droits et des richesses. Partout dans les rues de Québec, devant le parlement, près de la porte Saint-Louis, ces femmes fraternisaient, discutaient, vulnérables dans leur pauvreté mais fortes par la solidarité.

Le lendemain, je réalisai que malgré tant d'efforts, ce n'est pas « Du pain et des roses » qu'on leur remettait, mais plutôt des miettes et des épines. Alors qu'elles campaient toujours devant le parlement, impatientes de voir leur démarche couronnée d'un peu de succès ou même simplement d'entendre quelques mots d'encouragement pour certaines, elles apprirent que l'adoption du projet de loi sur l'équité salariale était reportée aux calendes grecques. Évidemment, les raisons, sur le plan de la politique, étaient légion et ne cédaient le pas qu'à des « questions d'intérêt national ».

Enfin, il n'y eut qu'un seul pauvre discours prononcé par la ministre à la Condition féminine à la fin de cette manifestation. Rien de très convaincant. Je l'écoutais en me disant que si l'enfer est pavé de bonnes intentions, le risque d'échouer est plus grand lorsqu'on pactise avec ces diables d'employeurs et de syndicats.

Les jours qui suivirent ce grand rassemblement, j'entendis des inepties semblables à celles dont on nous avait accablés après le jugement de la Cour d'appel fédérale. Une fois de plus, nos politiciens, contrits, prétendaient que le report de l'adoption du projet de loi sur l'équité salariale n'était qu'une formalité et que les hautes sphères allaient se pencher sur cette question incessamment. Lorsque les groupes de femmes insistaient pour obtenir plus de précisions sur ces bonnes intentions, une main quelque part se levait avec condescendance pour faire taire la meute. Parfois une question avait droit, une fois de plus, à une réponse de Normand, ambiguë et hypocrite, somme toute très vague et sans contenu réel. Et la sommité politique du moment, tel l'évêque houspillant ses ouailles, proclamait des paroles d'évangile comme si elle y croyait, comme s'il était possible de ne pas voir qu'elle proférait des mensonges.

Il est trop tard pour les bavardages quand on considère que 59 % des enfants de familles monoparentales dont l'unique parent est une femme sont pauvres, parfois même très pauvres. Ces données proviennent d'une étude de Santé Québec, réalisée en 1992 et 1993, qui portait sur la santé et la condition sociale des enfants et des adolescents québécois.

Poussés par l'affaire Susan Thibaudeau et la ferveur populaire, nos gouvernements semblent avoir réalisé enfin que cet impôt prélevé sur des pensions alimentaires accordées à des enfants était injuste. Mais si on les laisse faire, ils reviendront vite à leurs bonnes vieilles habitudes qui consistent à préférer les paroles aux actes. Certains diront qu'il est facile de critiquer, seulement il est encore plus facile de critiquer lorsque l'inaction de nos élus prouve la justesse de nos inquiétudes. Réveillons-les, bon Dieu !

Pour ma part, je prends pension à l'enseigne du combat et de la propagande active. Ces mots ressemblent à des mots de guerre et c'en sont, mais il s'agit d'une guerre pacifique, sereine, comme dans l'affaire Susan Thibaudeau, lorsque les femmes ont choisi d'imposer le respect plutôt que de respecter leurs impôts...

L'affaire Susan Thibaudeau : le respect imposé

Maître Richard Bourgault est né à Montréal le 2 avril 1962. De 1981 à 1984, après avoir étudié au Petit Séminaire de Québec, il poursuit des études de droit à l'Université Laval et à l'École du barreau. De 1985 à 1987, il travaille comme recherchiste pour les juges de la Cour supérieure du district de Québec. Déjà, il se fait remarquer pour sa science des affaires juridiques ainsi que pour son engagement. Le 14 février 1986, il est admis au barreau du Québec et fait ensuite son entrée à l'étude d'avocats Bernier, Beaudry et associés. La même année, il décroche un diplôme en philosophie. Enseignant depuis cinq ans à l'École du barreau à Québec, Maître Bourgault attache beaucoup d'importance à la formation des jeunes juristes. Pédagogue éclairé et passionné, il s'attire très vite l'admiration et le respect de ses élèves.

Son aisance à plaider devant les tribunaux l'amène enfin à débattre la cause de Susan Thibaudeau jusque devant la Cour suprême du Canada. À 33 ans, il se voit remettre le prix Louis-Philippe-Pigeon qu'il reçoit officiellement le 8 septembre 1995 au palais de justice de Québec pour sa contribution exceptionnelle à l'avancement du droit dans l'affaire Susan Thibaudeau.

Se sentant concerné par la cause des femmes et ayant déjà œuvré au sein de certains comités les représentant, c'est avec beaucoup de conviction et d'acharnement qu'il plaide aux côtés de son associé, Maître Michel C. Bernier, la discrimination dans le dossier de sa cliente. Malgré une première victoire retentissante en Cour d'appel fédérale, et malgré les efforts déployés par tous les gens et les regroupements engagés dans cette cause, celle-ci fut rejetée par le plus haut tribunal du pays le 25 mai 1995. Aujourd'hui cependant, ces efforts ont porté fruit puisque la loi a été modifiée et que les droits des familles ont été reconnus.

Maître Bourgault a décidé de raconter en détail cette saga et de faire ainsi la lumière sur les défauts d'un système fiscal désuet qui sert très mal, trop souvent, les intérêts des contribuables, en particulier ceux des femmes.

Avec passion, il relate les événements vécus au quotidien tout au long de cette aventure judiciaire qui s'étend sur six années et qui fut très médiatisée dans tout le Canada.

L'auteur souligne que cet ouvrage, qui fait suite à de nombreuses participations à des conférences, émissions tant radiophoniques que télévisées ainsi qu'à la rédaction de plusieurs chroniques et articles juridiques, se veut aussi une œuvre de démystification de la profession qu'il exerce.

Pour conclure, espérons qu'il y aura toujours des hommes tels que Maître Bourgault, qui se rallieront à la cause des femmes et qui se pencheront avec compréhension et ouverture d'esprit sur les cas d'injustice dont elles sont trop souvent les protagonistes et les victimes.

Carmen Dallaire

CE PREMIER TIRAGE A ÉTÉ ACHEVÉ D'IMPRIMER
EN MAI 1997, SUR LES PRESSES DE L'IMPRIMERIE GAGNÉ
À LOUISEVILLE (QUÉBEC)